C.H.BECK WISSEN

in der Beck'schen Reihe

Das Buch beginnt mit der Vor- und Frühgeschichte Japans und führt über den ersten Einheitsstaat, die Zeit der großen Ritterfamilien des Mittelalters bis zur Öffnung Japans am Ende der Edo-Zeit (1868) und die Etablierung des modernen Staates im 20. Jahrhundert. Manfred Pohl beschreibt, wie sich Japan nach der Niederlage im Zweiten Weltkrieg zur wirtschaftlichen Supermacht entwickelte und wie seine Rolle heute im Zeitalter der Globalisierung aussieht.

Manfred Pohl ist Professor für Japanologie an der Universität Hamburg.

Manfred Pohl

GESCHICHTE JAPANS

Verlag C. H. Beck

Mit einer Karte

Die Deutsche Bibliothek – CIP-Einheitsaufnahme

Pohl, Manfred:
Geschiche Japans / Manfred Pohl. – Orig.-Ausg. – München : Beck, 2002
(C. H. Beck Wissen in der Beck'schen Reihe ; 2190)
ISBN 3 406 47990 1

Originalausgabe

Satz: Fotosatz Amann, Aichstetten
Druck und Bindung: Druckerei C. H. Beck, Nördlingen
Umschlagentwurf: Uwe Göbel, München
Printed in Germany
ISBN 3 406 47990 1

www.beck.de

Inhalt

Hinweis:
Bei allen Eigennamen, geographischen Bezeichungen und auch im Deutschen gängigen Begriffen wurden die Längungszeichen weggelassen. Eigennamen sind in der Reihenfolge Nachname/Vorname aufgeführt.

1. Vor- und Frühgeschichte

1.1 Ursprung des japanischen Volkes

Historische Sprachforschung und Archäologie geben schlüssige Hinweise auf die Herkunft des japanischen Volkes, wo später überlieferte Mythen und davon abgeleitete, fingierte «Chroniken» – also erste Geschichtswerke – keine präzisen Informationen geben können: Die japanische Sprache weist wesentliche Ähnlichkeiten zu Sprachgruppen des ural-altaiischen Sprachraumes auf, zu denen das Türkische, das Mongolische, das Tungusische und Koreanisch zählen. Sprachlich bleibt es jedoch bei solchen bloßen Ähnlichkeiten, denn die japanische Sprache hat darüber hinaus eine völlig eigenständige Entwicklung genommen. Die historische Sprachwissenschaft untermauert mit ihren Erkenntnissen aber eine verbreitete Annahme, nach der die japanischen Inseln von Wandervölkern aus Zentralasien besiedelt wurden, die über zwei ehemals bestehende Landbrücken auf den japanischen Archipel gelangten: im Norden über einen schmalen Landbogen von Hokkaido über Sachalin nach Kamchatka, im Westen über eine Landverbindung zur koreanischen Halbinsel. Bodenfunde belegen, daß es mindestens vor 100 000 Jahren schon Menschen auf den japanischen Inseln gegeben hat, aber erst archäologische Funde aus dem 7. Jahrtausend v. Chr. geben genauere Aufschlüsse über die Urjapaner jener Zeit, etwa 8000 v. Chr. Diese Menschen einer japanischen Jungsteinzeit waren ethnischen Einflüssen durch weitere Wanderbewegungen ausgesetzt, so dem Zustrom der bärtigen Ainu, deren Herkunft nicht gesichert ist, die aber nach Kultur und Sprache Ähnlichkeiten zu finno-ugrischen Bevölkerungsgruppen Altrußlands aufweisen. Es folgte ein massiver Zuzug von Koreanern und schließlich auch eine Wanderbewegung aus Südostasien, die sich über den südlichen Teil von Kyushu vollzog.

1.2 Frühe Siedlungsgemeinschaften

Ausgrabungen belegen, daß es erste lockere Wohngemeinschaften mindestens 1000 Jahre v. Chr. gegeben hat. Es wurden in Höhlensiedlungen über das Land verteilt zahlreiche Keramikgefäße gefunden, die nach ihrer teils kunstvollen Verzierung in einer Art «Tau/Kordelmuster»-Stil der Jomon-Kultur ihren Namen gaben; die Menschen dieser Entwicklungsstufe waren Jäger, Sammler und sie betrieben Fischfang. Diese frühen Kulturen erhielten zwischen 300 v. Chr. und 300 n. Chr. durch neue Einwandererströme vom asiatischen Festland weitere zivilisatorische Impulse, die eine schnelle Entwicklung der handwerklichen Fertigkeiten (Bronze- und Eisenverarbeitung) und in der Landwirtschaft (Naßfeld-Reisanbau) auslösten; die Ausgrabungen zeigen auch, daß sich jetzt feste Siedlungen (Dorfgemeinschaften) herausbildeten (s. u.). Bodenfunde belegen Höhlenwohnungen, wo wahrscheinlich die Mitglieder jeweils einer großen Familie zusammenlebten. Eine Art politischer Organisation dieser Siedlungen scheint es nicht gegeben zu haben, jedoch lassen Funde von Obsidian und Jade darauf schließen, daß diese Siedlungen untereinander eine Art Handel betrieben, denn solche Gegenstände fanden sich auch in Siedlungsgebieten, die weit entfernt von natürlichen Fundorten dieser Gesteinsarten liegen. Die Jomon-Kultur war über ganz Japan verbreitet, aber es hat den Anschein, als habe das Zentrum dieser Kultur in einer Region gelegen, die sich vom nordöstlichen Honshu bis in die Kanto-Ebene und die zentrale Gebirgsregion erstreckte, mit einer «Kulturbasis» im östlichen Japan. Diese geographische Besonderheit läßt darauf schließen, daß das Trägervolk dieser Kultur Verbindungen nach Nordasien hatte.

1.3 Erste japanische «Staatswesen»

Die frühesten schriftlichen Zeugnisse über Japan finden sich in chinesischen Quellen aus der Zeit zwischen 200 vor bis 200 n. Chr.; die Chroniken erwähnen ein Inselreich mit etwa 100 Teilstaaten; einige dieser Fürstentümer pflegten engen Austausch mit China, ihre Herrscher erkannten eine Tributpflichtigkeit gegenüber den chinesischen Kaisern an. Die verschiedenen Einzel«staaten» schlossen sich unter der Königin (Priesterherrscherin) Himiko aus dem «Reich» Yamatai (Lage umstritten: Kyushu oder Honshu?) zusammen, wie chinesische Quellen aus der Wei-Zeit (ca. 300 n. Chr.) erwähnen. Kontakte gab es auch zu Reichen in Korea, von dort dürfte die Kenntnis des Naßreis-Anbaus nach Japan gelangt sein.

Die regelmäßigen Tributgesandtschaften aus Japan brachten Grundelemente der chinesischen Zivilisation nach Japan, vor allem die chinesische Schrift. So entstanden die ersten japanischen Geschichtswerke, in denen die Verfasser auf «kaiserlichen» Befehl angeblich historische Ereignisse in Verknüpfung mit mythischen Überlieferungen chinesisch niederschrieben; dabei wurde das Chinesische in den Schriftzeichen teils mit den inhaltlichen Bedeutungen der Schriftzeichen, teils mit den Lautwerten der Zeichen niedergeschrieben, mit der Folge, daß die frühen historischen Texte überaus schwierig zu lesen sind. Die beiden ältesten schriftlichen Chroniken Japans datieren aus dem Beginn des 8. Jahrhunderts: Das Kojiki (712) und Nihongi (720) wurden im Auftrag von Herrschern geschrieben, die ihren Machtanspruch mit einer geradlinigen Abstammung ihrer Familie von der Sonnengöttin Amaterasu begründen wollten. Im Nihongi wird die Vorherrschaft der Mächtigen in Yamato gegenüber anderen Reichen auf den japanischen Inseln damit begründet, daß die Herrscher Yamatos direkte Nachfahren der Sonnengöttin, der «Hausgöttin» des japanischen Kaiserhauses, seien. Erst 2002 hat ein japanischer Tenno erstmals unumwunden eingeräumt, daß die kaiserliche Familie letztlich auf Grund der historischen Fakten direkte koreanische Vorfahren hat, eine Feststellung, die traditionell von der konservativen Geschichtsforschung und natürlich aus dem Kaiserhaus selbst immer bestritten wurde.

1.4 Die Kultur des ersten Einheitsstaates: Das Yamato-Reich

Die Epoche der Jomon-Keramik hatte in Japan gerade eben ihre größte Verbreitung und in der Technik ihren höchsten Entwicklungsstand erreicht, als das benachbarte China schon auf einem ersten Höhepunkt seiner Kulturgeschichte angelangt war: Die Chinesen der Yin-Dynastie beherrschten bereits vollkommen die Technik der Bronzeherstellung und -verarbeitung; ein hoher «technologischer» Entwicklungsstand, die überlegene Staatskunst und ein unbezweifelbarer Expansionsdrang unter den Yin-Kaisern und den nachfolgenden Dynastien brachten immer neue Ausweitungen des chinesischen Herrschaftsgebiets, bis im 1. Jahrhundert v. Chr auch die gesamte koreanische Halbinsel dem chinesischen Kaiserreich einverleibt wurde. In China herrschte während dieser Periode die Han-Dynastie, deren hochentwickelte Kultur jetzt ungehindert in die vier neu geschaffenen chinesischen Provinzen auf der koreanischen Halbinsel einströmen konnte. Damit waren die politischen Voraussetzungen geschaffen, Korea zu einer «Kulturbrücke» zwischen China und Japan werden zu lassen.

In Japan war während des 3. und 2. Jahrhunderts v. Chr die Jomon-Kultur also allmählich von einer anderen Kultur verdrängt worden, die ihre Bezeichnung ebenfalls einer besonderen Keramik verdankt. Diese sog. Yayoi-Ware wirkte in Form und Verzierung weit schlichter als die Jomon-Keramik, aber die Yayoi-Gefäße wurden aus Ton von besserer Qualität auf Scheiben gedreht und bei weit höheren Temperaturen als die Jomon-Keramik gebrannt; diese Keramik bedeutete also einen deutlichen Fortschritt in der keramischen Technik. Zudem wurden Yayoi-Gefäße stets zusammen mit Metallgeräten entdeckt, was darauf schließen läßt, daß die Yayoi-Ware nicht einfach eine technische Weiterentwicklung der Jomon-Keramik war, sondern zusammen mit der Kenntnis von Metallbearbeitung als Ergebnis chinesischer Einflüsse über Korea nach Japan gelangte. Die Yayoi-Gefäße, die der langen vorgeschichtlichen Epoche Japans vom 3. Jahrhundert v. Chr bis etwa zum 3. Jahrhundert

n. Chr. ihren Namen gaben, wurden erstmals 1884 in Tokyos Distrikt Yayoi gefunden. Ihren Ursprung aber hatte diese Kultur im nördlichen Kyushu, von wo aus sie sich bis nach Nordost-Honshu ausdehnte. Noch immer waren auch Steinwerkzeuge im Gebrauch, aber charakteristisch für diese Periode ist das Auftauchen von Bronze- und Eisenwerkzeugen. Bronzegeräte, die zuerst über See von Korea nach Japan gebracht worden waren, gebrauchte man anfangs ihrem Zweck entsprechend, später aber wandelte sich ihr Charakter: Sie wurden zu Schätzen und Symbolen von Macht. In Anwendung der neuen Bronzetechnik entstanden in Japan flache, stumpfe Schwerter und Speere sowie insbesondere abgeflachte, reich verzierte Bronzeglocken, die in den Feldern vergraben wurden, um die Ernten zu schützen. Alle diese Gerätschaften waren kaum von praktischem Nutzen, vielmehr handelt es sich mit ziemlicher Sicherheit um Zeremonialgeräte, deren Besitz Privilegien in der dörflichen Gemeinschaft begründete.

Die archäologischen Funde belegen damit zugleich einen weiteren kulturellen Entwicklungsschritt während der Yayoi-Periode: Es gab inzwischen regelrechte Dorfgemeinschaften, die schon den überaus komplizierten Naßreisanbau betrieben, wie er ursprünglich nur in tropischen Gebieten bekannt war. Diese Technik des Reisanbaus war aus China (wohl über Korea) zuerst in die feuchtheißen Küstenregionen Japans gelangt und hatte sich von dort bis in die kühleren Regionen Nordost-Honshus ausgebreitet. Reis war in der Yayoi-Periode Hauptnahrungsmittel und Grundlage der wirtschaftlichen Entwicklung geworden. Neben der Technik des Reisanbaus kamen während jener Epoche die Kenntnis vom Gebrauch landwirtschaftlicher Geräte (Sichel), einige sprachliche Besonderheiten und wahrscheinlich auch Orakeltechniken aus China nach Japan. Bronzegeräte, Grundkenntnisse der Eisenbearbeitung, Bestattungsrituale und Spinntechniken wurden wahrscheinlich auch aus Korea nach Japan vermittelt. Kollektive Arbeitsvorgänge in der Landwirtschaft ließen vergleichsweise fest gefügte soziale Gemeinschaften in Dörfern entstehen, in denen sich bald auch unterschiedliche Ränge herausbildeten.

Führende Familien entstanden in der dörflichen Gemeinschaft, die den gemeinsamen Arbeitseinsatz bei der Feldbestellung, die Bewässerungsarbeiten und die Ernte organisierten. Benachbarte Dorfgemeinschaften schlossen sich zu größeren, locker gefügten Verbänden zusammen. Es entstanden jene vielen kleinen «Staaten», von denen in den erwähnten Chroniken die Rede ist.

Nach dem Sturz der Wei-Dynastie in China (265 n. Chr.) verlor das chinesische Kaiserreich seine unmittelbare Kontrolle über Korea, und die dort entstandenen Königreiche Paekche, Koguryo und Silla konnten ohne chinesische Einflüsse ihre Vormachtkämpfe ausfechten. Bis zum Beginn des 5. Jahrhunderts geben die Chroniken Chinas keine weiteren Auskünfte über Japan, vermutlich erlaubten die inneren Wirren, an deren Ende die Gründung des Yamato-Staates stand, keine Gesandtschaftsreisen an den chinesischen Hof. Dagegen mischten sich japanische Herrscher um so mehr in die Machtkämpfe auf der koreanischen Halbinsel ein: Mitte des 4. Jahrhunderts war der junge Einheitsstaat im Werden offenbar bereits stark genug, eine Expeditionsarmee nach Korea zu entsenden und im Bündnis mit dem Königreich Paekche gegen den König von Koguryo zu kämpfen.

Nationalbewußte koreanische Geschichtsschreiber betonen heute diesen Bündnisaspekt, japanische Historiker dagegen neigen eher dazu, dem Königreich Paekche gegenüber dem werdenden Einheitsstaat in Japan Tributpflichtigkeit zu unterstellen. Unbestritten zwischen beiden Positionen ist die Tatsache, daß japanische Herrscher (wer immer sie waren) im Süden der koreanischen Halbinsel eine «Kolonie», das Gebiet Mimana, kontrollierten. Überseeische Militäraktionen im Ausmaß z. B. des Eingreifens in die koreanischen Machtkämpfe setzten in Japan selbst die Existenz eines weitgehend geeinten Staatswesens voraus. Bei diesem Staatswesen kann es sich wohl nur um das Reich Yamato gehandelt haben, das Mitte des 4. Jahrhunderts mindestens die Insel Kyushu wie auch das westliche und das zentrale Honshu mit der Kernregion Yamato kontrollierte. Der Vorstoß auf die koreanische Halbinsel hatte bald einen grundlegenden Wechsel im Geschmack der herrschenden Elite des

Yamato-Reiches zur Folge. Zweihundert Jahre nach Errichtung der eindrucksvollen «Schlüssellochgräber» japanischer Kaiser (sog. *kofun*, daher Kofun-Periode, 300–710), die größtenteils während des 4. Jahrhunderts aufgeschüttet worden waren, entstanden Grabanlagen, in denen sich Grabbeigaben einer Reiteraristokratie fanden: eiserne Rüstungen und Schwerter, Schuhe aus vergoldeter Bronze, Gold- und Silberschmuck und Kronen. Auch unterhalb der herrschenden Elite war die Gesellschaft der Yamato-Zeit bereits in verschiedene fest gefügte Familiengruppen gegliedert.

Der kulturelle Austausch mit China über die koreanische Halbinsel als «Kulturbrücke», aber auch mit der Kultur Koreas selbst, verstärkte sich besonders im 6. Jahrhundert: Von dieser Zeit an reisten immer wieder koreanische Gelehrte und Handwerker nach Japan, sie brachten Hausbautechnik, medizinisches Wissen, Musik, Literatur, vor allem aber buddhistische Schriften nach Japan. Korea wurde auf diese Weise zu einem Bindeglied zwischen dem kulturell hochentwickelten chinesischen Kaiserreich und dem vergleichsweise «primitiven» jungen japanischen Staat. Im 6. Jahrhundert gelangte so der Buddhismus nach Japan, der nach längeren Machtkämpfen zwischen den führenden Familien unter dem Regenten Shotoku Taishi «Staatsreligion» wurde (ca. 600; s.u.). Ausgrabungen in den Kaisergräbern jener Epoche belegen den starken koreanischen Kultureinfluß: Das japanische Engagement in Korea brachte zahlreiche kulturelle Fertigkeiten nach Japan, von denen die ersten japanischen Zentralstaaten wesentlich geprägt waren.

Mit dem Kaiser Nintoku (313–399) erreichte die Macht des Yamato-Hofes in der ersten Hälfte des 5. Jahrhunderts einen Höhepunkt. In den folgenden Jahrhunderten zerfiel jedoch allmählich die Macht des Reiches. Der Einfluß Yamatos im südlichen Korea schwand, und im Inneren wurde die Vorherrschaft der Yamato-Mächtigen durch eine Serie von Auseinandersetzungen über die Thronfolge entscheidend geschwächt; auch mehrere Versuche, die Legitimation der Yamato-Herrscher durch die chinesischen Kaiser bestätigen zu lassen, schlugen fehl.

Inzwischen hatte das Yamato-Reich längst die chinesische Schrift übernommen und die Aristokratie des Landes besaß gute Kenntnisse der chinesischen Gesellschaftslehre des Konfuzianismus, aber der entscheidende Anstoß zu tiefgreifenden gesellschaftlichen und machtpolitischen Umwälzungen in Yamato kam durch die Einführung des Buddhismus aus Korea. Die japanische Geschichte des 5. und 6. Jahrhunderts ist eng verflochten mit den Vorgängen auf der koreanischen Halbinsel; um die Jahrhundertwende wurde die japanische Enklave im Süden Koreas, Mimana, durch die beiden benachbarten Königreiche Paekche und Silla, aber auch von Norden durch das Königreich Koguryo bedrängt. In dem Kampf um die Vorherrschaft auf der koreanischen Halbinsel, der sich zwischen den drei Königreichen entspann, ergriff Japan nach langem Drängen die Partei Paekches. Abgesandte dieses Königreiches hatten 552 ein Buddha-Bild und buddhistische Schriften nach Japan gebracht und den Herrschern von Yamato dringend empfohlen, diesen neuen Glauben anzunehmen. Die Reaktion in Yamato war zurückhaltend diplomatisch: Die einflußreiche Herrschaftsfamilie der Soga wurde beauftragt, die Buddha-Verehrung in ihrem Clan zu betreiben. Andere einflußreiche Adelsfamilien widersetzten sich heftig der Einführung des Buddhismus, und der Ausbruch einer Epidemie lieferte ihnen den Vorwand, den entscheidenden Machtkampf mit dem Clan der Soga zu suchen. In diesen internen Auseinandersetzungen aber siegten die Soga, die «alte Religion» des Shinto wurde zugunsten des Buddhismus zurückgedrängt, der sich von da an immer weiter ausbreitete und gleichsam zu einer Staatsreligion wurde.

Die siegreiche Familie der Soga stellte eine neue Elite, die ihren Herrschaftsanspruch nicht auf die Abstammung von sagenhaften *kami* (Gottheiten) gründete, sondern auf ihre administrative Funktion am Hof von Yamato. Die Soga waren Schatzmeister des Hofes, sie sammelten, lagerten und bezahlten alle Erzeugnisse für die Yamato-Herrscher. Dazu gehörte Reis, der auf den kaiserlichen Ländereien erzeugt wurde, aber auch alle Gegenstände, die von eingewanderten chinesischen und koreanischen Handwerkern hergestellt wurden. Bauern und

Handwerker waren den Soga nicht untertan, weil diese «göttliche Abstammung» beanspruchen konnten, sondern weil sie kaiserliche Verwaltungshoheit besaßen. Der Sieg der buddhistischen Soga und damit die politische Aufwertung einer Verwaltungselite gegenüber dem erblichen Machtanspruch anderer Familien, die ihren hohen Rang auf *kami*-Abstammung zurückführten, beseitigte keinesfalls die Rolle der traditionellen Religion des Shinto, sondern die «neue Religion» des Buddhismus fand Wege zur Koexistenz mit der «alten Religion» des Shinto. Keinen Zweifel aber kann es daran geben, daß die Einführung des Buddhismus die Zentralisierungsbestrebungen einer neuen politischen Elite, die sich als Vollstrecker des kaiserlichen Willens verstand, nachdrücklich förderte. Die Soga achteten den religiös begründeten Machtanspruch der kaiserlichen Familie und begnügten sich damit, die Geschicke des Kaiserhauses – eben als «Vollstrecker» – aus dem Hintergrund zu lenken.

Die Macht der Soga wuchs unaufhaltsam an, der Herrschaftsanspruch dieses Clans wurde zum entscheidenden Antrieb für die staatliche Einigung Japans. Gegen Ende des 6. Jahrhunderts war Oberhaupt des Soga-Clans der skrupellose Machtmensch Soga no Umako (gest. 626?), der durch Intrige und Mord die Herrschaft seines Hauses sicherte. Mochten auch die Soga den Buddhismus favorisieren, Umako verkörperte alles, was der Buddhismus als böse ansah. Er setzte seine Nichte Suiko als Kaiserin auf den Thron und stellte ihr einen Prinzregenten an die Seite, der in der japanischen Geschichte unter dem Namen Shotoku Taishi zum vielfach verklärten Idealbild eines buddhistischen Herrschers wurde. Kaiserin Suiko regierte unter dem direkten Einfluß der Soga bis 628, die tatsächliche Regierungsgewalt aber lag bei Shotoku. Hinter Shotoku wiederum standen Soga no Umako und sein Clan, denen es vor allem um Errichtung und Festigung eines zentralisierten Staates ging. Der «ordnungspolitische Rahmen» dieses neuen, zunehmend zentralisierten Staatsgebildes wurde aus China übernommen. Prinzregent Shotoku, der gläubige Buddhist, suchte seine Religion mit der Gesellschaftslehre und dem Wertesystem des Konfuzianismus zu verbinden; er führte nach chinesischem Vorbild

Hofetikette, Hofränge und den chinesischen Kalender ein, er ließ Poststraßen bauen, und er befahl die Niederschrift der ersten Chroniken, wie er sie aus China kannte, jedoch nach spezifisch japanischen Vorgaben (s.o.). Die philosophischen und ethischen Grundlagen seiner Regierungslehre legte Prinzregent Shotoku 604 in den sog. «17 Artikeln» nieder: Er forderte Harmonie in den menschlichen Beziehungen, besonders zwischen Herrscher und Untertanen, er verurteilte die Bestechlichkeit und Frondienste von Bauern «zu unrechter Zeit»; die Artikel enthalten eine Aufforderung, Buddha zu verehren, dem Kaiser Gehorsam zu leisten und Entscheidungen aller Art nur nach breiter Einigung in Gesprächen zu fällen.

1.5 Ein Zentralstaat neuen Typs: Die «Taika-Reformen»

Währenddessen entwickelte sich die außenpolitische Situation zu Japans Nachteil: Das neu erstarkte China begann, Druck auf die Königreiche in Korea auszuüben, um die Länder auf der koreanischen Halbinsel dem chinesischen Herrschaftsbereich einzuverleiben. Das Vordringen Chinas nach Korea fiel zusammen mit dem Tod Shotokus und dem allmählichen Ende der Soga-Herrschaft: Der Prinzregent starb 622, wenig später verschied auch Umako. Nach einer diktatorischen Übergangsphase der letzten Soga-Mächtigen wurde die Herrschaft des Clans 645 blutig durch die rivalisierende Adelsfamilie der Nakatomi und ihre Verbündeten beendet.

Die neuen Machthaber gingen mit noch größerer Entschlossenheit an die Errichtung eines zentralisierten Staates. 646 markiert die «Große Wende»: In den vier Artikeln der sog. «Taika-Reformen» (*Taika*: große Wende) wurde festgelegt, daß fortan aller Grundbesitz unter direkte kaiserliche Verwaltung gestellt werden sollte (Artikel 1); als Zentrum dieser neuen Verwaltungsstruktur sollte eine Hauptstadt als kaiserlicher Regierungssitz neu errichtet werden (Artikel 2). Der dritte Artikel ordnete eine Volkszählung, Landvermessung und die Niederschrift eines Steuerregisters an, der vierte Artikel legte ein neues

Steuersystem fest. Prinzregent Shotoku hatte in seinen «17 Artikeln» die philosophisch-moralischen Grundlagen eines zentralisierten Staates niedergelegt, die Taika-Reformen schufen die verwaltungstechnischen Rahmenbedingungen. Einer kleinen Gruppe entschlossener Reformer war damit ein entscheidender Durchbruch zur Errichtung eines zentralisierten Beamtenstaates nach chinesischem Vorbild gelungen. Ohne Rückhalt im «Volk» oder eine militärische Machtbasis gelang es, aus dem Erbadel eine Verwaltungselite zu formen. Hohe Posten in der zentralisierten Verwaltung gingen ausschließlich an Mitglieder alter Adelsfamilien, eine Maßnahme, mit der die kaiserliche Familie und die Gruppe der Reformer die Loyalität der alten Adelsfamilien «erkauften». Dennoch war die «Große Wende» eine Revolution: die Volksmassen (also die Bauern) wurden aus der Leibeigenschaft der großen Familien entlassen und zu Untertanen des Kaisers. Der Beamtenadel bezog seine Einkünfte nicht mehr aus eigenen Ländereien, sondern als Vergütung durch den Kaiser, der wiederum diese Mittel aus dem Steueraufkommen der Zentralgewalt aufbrachte.

Die neue Ordnung wurde nach 646 natürlich nicht auf einen Schlag verwirklicht, sondern es dauerte rund ein halbes Jahrhundert, bis zu Beginn des 8. Jahrhunderts ein ausgefeiltes Verwaltungs- und Rechtssystem verankert war. Ein letztes Mal hatten Vorgänge in Korea die ganze Aufmerksamkeit der Mächtigen Japans beansprucht: Der Verlust Mimanas, das in der zweiten Hälfte des 6. Jahrhunderts von dem erstarkten Königreich Silla erobert worden war, hatte die Yamato-Herrscher in ein enges Bündnis mit dem Königreich Paekche geführt; 660 eroberten chinesische Truppen Paekche und sicherten damit die Oberhoheit der chinesischen Kaiser über die koreanische Halbinsel. Noch einmal suchte Japan in einer gewaltigen militärischen Anstrengung, seine Interessen in Korea zu wahren, aber das japanische Expeditionsheer, angeblich mehr als 27 000 Soldaten, wurde schon während der Landung in Korea von chinesischen Seestreitkräften aufgerieben. Von da an konzentrierten sich die japanischen Herrscher auf reine Defensivmaßnahmen: die kleinen Inseln Iki und Tsushima sowie die Siedlungen auf

Kyushu und Shikoku wurden befestigt, um chinesische Invasionsversuche abwehren zu können.

Die von alters her überlieferte Vorstellung, daß der Tod einen Wohnplatz verunreinigt, hatte bis zu Beginn des 8. Jahrhunderts zu immer neuen Verlegungen der Hauptstädte an verschiedene Orte Yamatos und der benachbarten Provinzen geführt. Seit die japanischen Herrscher Mitte des 7. Jahrhunderts die Grundidee einer Hauptstadt als Regierungszentrum aus China übernommen hatten, «wanderte» die Hauptstadt von Naniwa (heute Osaka, ab 646) nach Asuka (südlich von Nara, ab 651), nach Omi (Provinz Otsu, ab 668) und schließlich ab 673 erneut nach Asuka, aber an einen anderen Platz als die frühere Stätte des Herrschersitzes. Von 694 an lag die Hauptstadt in Fujiwara, südlich von Nara, bis schließlich ab 710 Heijo oder Nara für längere Zeit das Regierungszentrum wurden. Das japanische Wort «miyako», das im heutigen Sprachgebrauch «Hauptstadt» bedeutet, bezeichnete bis in das 8. Jahrhundert hinein eher die Lage des kaiserlichen Palastes, wörtlich bedeutet *miayko* «erhabenes Haus». Es war Sitte, wenn ein neuer Kaiser inthronisiert wurde, auch eine neue Residenz anzulegen. Manche Kaiser wechselten sogar während ihrer Regierungszeit mehrmals den Palast, wobei sie sich nach einzelnen Ereignissen, guten oder schlechten, richteten. Entscheidend dürfte dabei, wie erwähnt, die Vorstellung von der Verunreinigung einer Residenz durch einen Todesfall gewesen sein. Wie tief die Vorstellung der temporären Residenz saß, zeigt sich darin, daß sogar während der sog. Nara-Zeit die Kaisersitze mehrfach verlegt wurden: der Kaiser Shomu (727–749) wechselte nicht weniger als viermal seine *miyako*. Erst mit der Wahl Heiankyos (heute: Kyoto) als neue Hauptstadt im Jahre 794 endete schließlich der Brauch, kaiserliche Residenzen immer wieder zu verlegen. Heiankyo/Kyoto blieb für tausend Jahre Japans Hauptstadt.

Rund ein halbes Jahrhundert hatte es gebraucht, um die theoretischen Grundsätze der Taika-Reformen in ein funktionierendes zentralisiertes Verwaltungssystem umzusetzen. Mit dem sog. Taiho-Kodex (701/2) war diese Aufgabe vollbracht: Fortan wurde der junge japanische Staat im Namen des Kaisers von einem straff gegliederten Beamtenapparat regiert. An der Spitze jeder Provinz stand ein Gouverneur, der aus Kreisen des Hofadels der Hauptstadt ernannt wurde. Unter der Oberaufsicht des Todaiji (in der späteren Hauptstadt Nara) wurde in jeder Provinz ein buddhistischer Tempel errichtet. Mit dem Tod der Kaiser wanderte nach Verkündung des Taiho-Kodex auch die Hauptstadt des Landes weiter: aus dem Raum Osaka wurde sie erneut nach Asuka verlegt; erst 710 gründete der Kaiser Gemmei die erste feste Hauptstadt in Nara. Rechtssystem und Verwaltungsstruktur erhielten jetzt ihre endgültige Form; die ersten nationalen Chroniken wurden geschrieben, in denen die Geschichte des Landes bis zur Gründung der Hauptstadt Nara verbindlich festgelegt wurde, die 66 Provinzen mußten Ortsgeschichten niederschreiben, und der Staatshaushalt wurde geregelt. Das Steueraufkommen wurde von den Bauern erwirtschaftet. Alles Ackerland gehörte dem Kaiser, die Bauern bewirtschafteten den Boden, den sie je nach Familiengröße zugeteilt bekommen hatten. Bereits in der Nara-Zeit zeichnete sich ein Grundsatz der wirtschaftlichen Entwicklung Japans ab, der bis weit in das 20. Jahrhundert hinein Bestand hatte: Die bäuerliche Bevölkerung mußte alle Lasten «ökonomischen» Fortschritts tragen. In der Nara-Zeit waren es aber nicht die Agrarsteuern, die den Bauern unerträgliche Lasten aufbürdeten, sondern die Fronarbeit für die Provinzverwaltung und kaiserliche Bauvorhaben sowie der langjährige Militärdienst. Während ihrer Soldatenzeit mußten die Bauern für die eigene Verpflegung sorgen und sich selbst ausrüsten. Die Folge dieser unerträglichen Belastungen für die bäuerliche Bevölkerung war eine massenhafte Landflucht.

Die Armee der Nara-Herrscher war dennoch groß genug, um im Südwesten, auf Kyushu, letzte Reste nichtjapanischer Bevölkerung (wohl aus Südostasien) zu unterwerfen und im nördlichen Hokkaido die Eroberungskämpfe gegen die Ainu fortzusetzen. Diese Kämpfe forderten schwere Opfer, da die Ainu im 8. Jahrhundert gegen die Expansion des Nara-Staates erbitterten Widerstand leisteten und den Truppen des Reiches schwere Verluste zufügten. Das Nara-Reich mußte darüber hinaus große

Garnisonen an der Nordküste Kyushus und auf nahegelegenen Inseln unterhalten, da die Herrscher einen Angriff chinesischer oder koreanischer Truppen erwarteten.

Im Gegensatz zur chinesischen Verwaltungsstruktur stand in Japan die Beamtenlaufbahn nur Angehörigen der höchsten Adelsfamilien offen; es gab kein gestaffeltes Prüfungssystem wie in China, das theoretisch allen Schichten sozialen Aufstieg über die Bildung ermöglichte. Dennoch blieb das China der Tang-Dynastie das große Vorbild. Die neue Hauptstadt in Nara suchte man nach dem Vorbild der chinesischen Hauptstadt Ch'ang-an zu planen, aber dieses ehrgeizige Vorhaben blieb weit hinter dem chinesischen Modell zurück. Ein unkritischer Vergleich mit der «Hauptstadt des Universums», eben Chinas Hauptstadt Ch'ang-an, tut der neu errichteten japanischen Residenz jedoch unrecht. Die Hauptstadt des Nara-Reiches war vor 1200 Jahren in jeder Hinsicht eine Großstadt. In der geometrisch geplanten Hauptstadt, die nach einem strengen rechtwinkligen Raster in Nord-Süd/West-Ost-Richtung angelegt war, lebten ca. 200 000 Menschen; die Hauptstraße in Nord-Süd-Richtung war 85 m breit. Das Gebiet der Hauptstadt Nara muß viel größer gewesen sein, als die heutige «Kleinstadt mit Museumscharakter» es ahnen läßt. An die einstige Pracht Naras erinnern nur noch wenige originale Bauwerke und Kunstgegenstände. Aber diese gewaltigen kulturellen Leistungen (prachtvolle Tempel, riesige Buddha-Statuen aus Bronze usw.) waren nur möglich, weil sich während der Nara-Zeit nicht nur die Macht des Kaisers gefestigt hatte, sondern mit der Konsolidierung der Zentralgewalt auch die Machtposition einflußreicher Familien stabilisiert wurde. Unangefochten an der Spitze aller Adelsgeschlechter jener Zeit standen die Fujiwara. Sie führten ihre Abstammung auf Nakatomi no Kamatari (614–669), den Schöpfer der Taika-Reformen, zurück. Er sicherte seinem Clan eine Machtstellung im Staate, die für 300 Jahre unangetastet bleiben sollte.

Kaiserhaus und mächtigen Adelsfamilien waren jedoch abseits, fast unbemerkt von der «weltlichen» Politik, starke Gegner erwachsen: Die sieben buddhistischen Haupttempel Naras zeugten mit ihrer Pracht jetzt auch von der politischen Bedeutung des erstarkten Buddhismus. Ehrgeizige Priester griffen sogar nach der weltlichen Macht. Eine Kaiserin stand um die Mitte des 8. Jahrhunderts so stark unter dem Einfluß des Mönches Dokyo, daß sie ihm beinahe die Kaiserwürde übertragen hätte; erst ein warnendes Shinto-Orakel vereitelte diesen ungeheuerlichen Plan. Der Priester Dokyo wurde verbannt; die Kaiserin starb verbittert 770. Dokyos kühnes Komplott verdeutlichte schlagartig Verweltlichung und Machtgelüste des buddhistischen Klerus – es schien geboten, die räumliche Nähe von kaiserlichem Hof und Palast und machthungriger Priesterschaft in den Tempeln aufzuheben; die Errichtung einer neuen Hauptstadt wurde nötig. Nicht nur die heikle Machtfrage, sondern auch ökonomische Gründe sprachen für eine erneute Verlegung der kaiserlichen Residenz: Fast 100 Jahre lang hatten die umliegenden Agrargebiete mit ihren Naturalsteuern die zahlreichen Beamten der Verwaltungszentrale in Nara versorgt, jetzt gingen die Ernteerträge zurück, die Fruchtbarkeit der Felder war erschöpft. Die Versorgungsprobleme der Hauptstadt wurden weiter verschärft durch die Abtretung großer Ländereien an die Klöster und Tempel sowie an einzelne Adelsfamilien, die Steuereinnahmen des Hofes sanken dadurch ebenfalls. Die geographische Lage Naras machte es andererseits unmöglich, Versorgungsgüter aus größerer Entfernung heranzubringen, denn es gab keine schiffbaren Flüsse in der Nähe.

2. Hochblüte japanischer Kultur: Heian-Zeit und Fujiwara-Herrschaft

Ökonomische und politische Gründe gleichermaßen erzwangen also eine Verlegung der Hauptstadt; nicht mehr Tabu-Vorstellungen, sondern «staatspolitische» Erwägungen gaben den Ausschlag. Die endgültige Entscheidung zur Verlegung der Hauptstadt fällte Kaiser Kammu (781–806), der von vielen japanischen Historikern als die stärkste Herrscherpersönlichkeit in der Geschichte Japans angesehen wird. Kammu bestieg 781 den Thron, im Jahre 794 wurde die Hauptstadt endgültig verlegt. Kammu sicherte die unbestrittene kaiserliche Zentralgewalt, und noch seine Söhne konnten bis 830 unangefochten regieren. Frühere Hauptstädte «verschwanden» meist, wenn die Residenz des Kaisers verlegt wurde, Nara aber blieb als religiöses Zentrum, als städtebauliches und architektonisches Zeugnis früher buddhistischer Macht weitgehend erhalten.

Die neue Hauptstadt erhielt den Namen Heiankyo (etwa «Hauptstadt des Friedens»), der auch die folgende Epoche von mehr als zweihundert Jahren bezeichnet (Heian-Zeit). Der Ort blieb tausend Jahre lang Hauptstadt des Landes, wenn auch die kaiserliche Residenz selten wirkliches politisches Machtzentrum des Landes war. Die Heian-Epoche (794–1185) läßt sich bis Ende des 12. Jahrhunderts in drei deutlich unterscheidbare Phasen einteilen. In der ersten Phase, die bis Mitte des 9. Jahrhunderts währte, besaßen die Kaiser die unbestrittene politische Zentralgewalt, sie stützten sich auf einen reibungslos funktionierenden Beamtenapparat, der noch in der Nara-Zeit aufgebaut worden war. Die Fujiwara-Fürsten waren einflußreiche Ratgeber bei Hofe – nicht mehr. Es folgte eine zweite Phase von etwa zweihundert Jahren, in der die Familie der Fujiwara die wirkliche Macht an sich zog, in Heiankyo und damit im ganzen Lande eine Reihe schwacher Kaiser kontrollierte und ihre Familieninteressen mit den Interessen des Staates gleichsetzte. In der Endphase der Heian-Zeit schließlich büßten die Fujiwara zwar ihren gewaltigen politischen Einfluß ein, aber die zentrale Regierungsgewalt des Kaisers wurde damit nicht stärker. Fast einhundert Jahre lang herrschten jetzt auf der politischen Bühne in der Hauptstadt abgedankte Kaiser, die aus der Abgeschiedenheit buddhistischer Klöster oder ihrer privaten Residenzen unmündige Söhne oder schwache Herrscher wie Puppenspieler an Fäden führten. Diese Form indirekter Herrschaft fügte im 12. Jahrhundert dem Ansehen des Kaiserhauses schweren Schaden zu.

Parallel zur allmählichen Schwächung der kaiserlichen Zentralgewalt erstarkte der landgebundene Adel. Gegen Ende der Heian-Zeit hatte sich in der rechtlichen Form des Grundbesitzes ein tiefgreifender Wandel vollzogen: Rechtstitel an Grund und Boden wurden nicht länger vom Kaiserhof an den Beamtenadel vergeben, sondern Grund und Boden war zunehmend als erbliches Privateigentum zur Machtbasis eines erstarkten Landadels geworden. Die landbesitzenden Provinzfamilien konnten Ende des 12. Jahrhunderts zunehmend die Zentralmacht des Kaisers «ausbalancieren» – es hatte sich ein Urmodell jener dualen Herrschaftsstruktur herausgebildet, das jahrhundertelang typisch für die Machtverteilung in Japan sein sollte: Kaisertum gegen Provinzadel. Zwar wurde das Gleichgewicht zwischen landbesitzenden Provinzfürsten und kaiserlicher Zentralgewalt immer wieder verschoben – meist zum Nachteil der Kaiser –, aber die machtpolitischen Grundstrukturen blieben bis Mitte des 19. Jahrhunderts erhalten.

2.1 Die Gesellschaft der Heian-Zeit

Der neue kaiserliche Palast war 795 fertiggestellt, die Stadt selbst aber erst zehn Jahre später; dennoch besaß sie im Jahre 818 bereits ca. 500 000 Einwohner. Wie zuvor auch Nara war Heiankyo nach dem chinesischen Vorbild von Ch'ang-an, der Hauptstadt der Sui-Dynastie, angelegt. Alles Leben war auf den Kaiserhof konzentriert, in der (frühen) Heian-Zeit nahm die

Hofaristokratie das «gemeine» Volk kaum wahr. Aber auch die wachsende Bedeutung des ländlichen Schwertadels entging den Höflingen völlig. Der Rang bei Hofe entschied alles, Regierungsämter und persönliches Einkommen. Die Rangabstufungen wiederum gründeten auf komplizierten Familien-Hierarchien, wobei die direkte oder mittelbare Abstammung vom Kaiserhaus die höchsten Ränge bestimmte. Weiter unten in der sozialen Rangordnung folgten die Nachfahren der früheren Yamato-Familien und die Abkömmlinge jener ausländischen Sippen (Chinesen, Koreaner), die bis zum 8. Jahrhundert vom Festland eingewandert waren. Im Standesbewußtsein der arroganten Hofadligen standen die Provinzfamilien, deren Oberhäupter Verwaltungsdienst in den kaiserlichen Gutsdomänen taten, ganz weit unten. Nur ein winziger Prozentsatz der Bevölkerung in der Heian-Zeit hatte damit Zugang zu höchsten Staatsämtern, wodurch die Inzucht unvermeidlich gefördert wurde.

Dies war zweifellos die entscheidende Schwäche des Verwaltungssystems Japans zur Heian-Zeit; man hatte die gesamte Grundkonzeption aus China übernommen, aber das wichtigste Prinzip nicht beachtet: Über die Vergabe von Ämtern entschied nicht Erfolg oder Mißerfolg bei ausgefeilten Staatsprüfungen auf verschiedenen Ebenen, wie es das chinesische System vorsah, sondern Familienzugehörigkeit, Beziehungen und Protektion waren für eine Verwaltungskarriere ausschlaggebend.

Am Hof von Heiankyo entwickelte sich eine höfische Kultur von äußerstem Raffinement: Der höfische Adel war durch die Erträge seiner Landgüter materiell abgesichert, die Verwaltungsaufgaben wurden weitgehend den Provinzgouverneuren und dem Landadel auf diesen Gütern überlassen, nur die zentralen Staatsaufgaben wurden von Hofbeamten (im Namen des Kaisers) wahrgenommen. In dieser höfischen Muße entwickelten sich die schönen Künste zu höchster Blüte: Malerei, Plastik, die Schriftkunst, vor allem aber die Literatur erreichten eine Hochblüte, weswegen diese Epoche mit Recht als «japanische Klassik» bezeichnet wird. Damen und Herren bei Hofe lebten in getrennten Wohnquartieren des Schlosses, galante Abenteuer –

nicht selten ausgelöst durch ein poetisches Billet doux, eine auffällig raffinierte Garderobe oder auch durch ein geistreiches Tagebuch, das von Hand zu Hand ging – waren an der Tagesordnung. Hofdamen, die nicht gerade Dienst bei der Kaiserin (oder den zahlreichen hochrangigen Konkubinen) hatten, beteiligten sich hingebungsvoll an diesen galanten Spielen – und genossen in dieser Epoche völlige Freiheit, mehr noch: In der Literatur setzten sie die Maßstäbe. Im 10. und 11. Jahrhundert gaben Frauen in der japanischen Literatur den Ton an, einige der größten Literaturwerke wurden von Hofdamen verfaßt (z. B. die «Geschichte vom Prinzen Genji», Gedichtsammlungen, Tagebücher).

Während am Kaiserhof von Heiankyo der höfische Adel in einer ästhetischen Scheinwelt verharrte, in der die rauhe politische Realität kaum Platz fand, entstand in den Provinzen eine neue Schicht: der schwerttragende Provinzadel, der in Kämpfen gegen die verbliebenen «Barbaren» (z. B. die Ainu) die Außengrenzen sicherte und der als ländliche Verwaltungselite den wirtschaftlichen Fortbestand des Hofes sicherte. Selbstbewußte Provinzbeamte, die es kaum in die Kaiserresidenz Heiankyo zog, die statt dessen in ihren Verwaltungsresidenzen blieben und mit Waffengewalt ihren Landbesitz ausdehnten, waren die Vorfahren jener Kriegerfamilien, die im 13. und 14. Jahrhundert die Macht im Lande an sich rissen. Seit der Nara-Zeit war urbar gemachtes Neuland steuerfrei, und die Gouverneure der Grenzprovinzen im Westen und Nordosten hatten so die Möglichkeit, gewaltigen Grundbesitz zu erwerben. Der Hof in Heiankyo konnte schon bald einzelne mächtige Provinzbeamte, Kern eines neuen Militäradels, nicht mehr kontrollieren. Die Taira waren eine solche emporgekommene Kriegerfamilie, die in der Nähe des heutigen Tokyo einen erblichen Gouverneurposten innehatte. Im Jahre 1028 wagte ein Taira den Aufstand; er eroberte die benachbarte Provinz und zerstörte die kaiserlichen Verwaltungsresidenzen. Die Reichstruppen vermochten gegen die kampferprobten Ritter der Taira nichts auszurichten, erst ein General aus der Familie der Minamoto konnte den Taira bezwingen. Die Minamoto waren bereits seit längerem zu den

«Zähnen und Klauen der Fujiwara» geworden, und die Truppen der Familie wurden immer wieder eingesetzt, um Unruhen in den Provinzen zu unterdrücken. Dieses Mal war es noch nicht zu einem offenen Entscheidungskampf zwischen den Taira und Minamoto gekommen, aber die Bürgerkriege späterer Jahrhunderte warfen mit diesem Konflikt ihre Schatten voraus. Gegen die kriegerischen Herausforderungen aus den Provinzen hatte der Hofadel Heiankyos kaum noch etwas aufzubieten.

In der Mitte des 11. Jahrhunderts bestieg wieder ein Tenno den Thron, der keine Fujiwara zur Mutter hatte. Dieser scheinbar zufällige Umstand kündigte das Ende der Fujiwara-Vorherrschaft an: Zwischen dem neuen Kaiser und den Oberhäuptern der Familie kam es zum Konflikt über das Recht, die Provinzgouverneure zu ernennen und die besteuerten Gutsdomänen zu verwalten. Bisher hatten die Fujiwara dafür gesorgt, daß ihnen genehme Bewerber auf die hohen Verwaltungsposten in den Provinzen berufen wurden, um durch diese Personalpolitik ihre Familieninteressen abzusichern. Die meisten Gutsdomänen und ihr Steueraufkommen wurden zu dieser Zeit von den Fujiwara kontrolliert. Kaiser Go-Sanjo, der 1068 auf den Thron kam (1068–72), wollte den direkten Zugriff der Fujiwara auf die Entscheidungsgewalt des Kaiserhofes brechen, indem er 1072 abdankte und als Mönch aus dem Hintergrund weiterhin reale politische Macht auszuüben suchte. Sein politischer Schachzug leitete die sogenannte «Epoche indirekter Kaiserherrschaft» (insei) ein, während der für rund hundert Jahre abgedankte Kaiser meist aus klösterlicher Zurückgezogenheit die tatsächliche Regierungsgewalt ausübten, indem sie die «herrschenden» Kaiser manipulierten.

Dieses System indirekter Herrschaft beendete im Ergebnis zwar die absolute Macht der Fujiwara, schwächte zugleich aber auch entscheidend die zentrale Kontrolle des Kaisers über Provinzen und Gutsdomänen. Statt die Zahl der Landgüter zu verringern, indem man sie wieder dem kaiserlichen Grundbesitz zuschlug, mußten die abgedankten Kaiser durch Umwandlung weiterer Hofländereien in Gutsdomänen diese Herrschaftsform finanzieren. Auf politische Entscheidungen hatten die Fujiwara jetzt zwar keinen unmittelbaren Einfluß mehr, um so mehr aber wurde die «Hofhaltung» der abgedankten Kaiser durch Fraktionsstreitigkeiten gefährdet. Zeitweise gab es einen nominellen Tenno und zwei abgedankte Kaiser, die sich gegenseitig den Einfluß streitig machten. Das Kaiserhaus hatte den Einfluß der Fujiwara abgeschüttelt, aber dafür einen hohen Preis gezahlt: Kaiserliche Zentralgewalt bestand nur noch dem Namen nach. In der Realität entwickelten die alteingesessenen Provinzfamilien auf ihren Ländereien zunehmende Eigenständigkeit, die kaiserliche Familie mußte gegen Ende des 12. Jahrhunderts mit anderen mächtigen Häusern um die reale Macht im Lande konkurrieren. Die Autorität des Tenno war fast verschwunden.

3. Die Herrschaft der großen Ritterfamilien: Japans feudalistische Epoche

3.1 Fujiwara und Taira

Tiefgreifende Veränderungen des Regierungssystems kündigten sich an, die in ihrer Bedeutung nur mit der Übernahme chinesischer Herrschaftsideen, der (unvollkommenen) Übernahme des zentralen Verwaltungssystems aus China oder – 700 Jahre später – mit der Einführung westlicher Regierungsformen zu vergleichen ist. An die Stelle der kaiserlichen Zentralgewalt trat der Herrschaftsanspruch mächtiger Kriegerfamilien, die ihre Legitimation nicht auf hohe Stellung bei Hofe zurückführten, sondern ihre Macht auf riesigen Landbesitz gründeten. Der politische Einfluß des Hofadels wurde durch den Machtanspruch von Militärherrschern verdrängt, deren nationaler Einfluß sich auf die unbedingte Loyalität ihrer Vasallen und Gefolgsleute stützte. Ende des 12. Jahrhunderts begann die «feudalistische Epoche» Japans.

Aufstieg und Fall von vier Samurai-Familien kennzeichnen die folgenden zweihundert Jahre: die Taira (Heike), die Minamoto (Genji), die Hojo und schließlich die Ashikaga. Die Führungspersönlichkeiten dieser aufeinanderfolgenden Herrscherfamilien verkörperten einen gänzlich anderen Typus als die ästhetisch verfeinerte Hofaristokratie in Heiankyo: Die sog. «Männer des Ostens» (*azuma-bito*) waren nach den Maßstäben der Höflinge in der alten Haupstadt ungehobelt und ungebildet; aber sie hatten in harten Kämpfen gegen die Ainu und andere Minderheiten, die noch eine Bedrohung des japanischen Staates darstellten, Mut bewiesen und in den Grenzgebieten des Reiches eigene Machtbasen aufgebaut. Schon im 10. Jahrhundert waren selbstbewußte und machthungrige Provinzfürsten gegen die Zentralgewalt des Kaisers aufgestanden. Auch in Heiankyo, am Hofe, waren sie bald unverzichtbar: Die rauhen Männer aus den Provinzen stellten die Palastwachen und die Hauptstadt-Polizei. Nur diese kampferprobten Krieger wagten es, sich den schwerbewaffneten Mönchen entgegenzustellen, die immer wieder in der Hauptstadt erschienen, um besonders ihren Gebietsforderungen mit Gewaltandrohung Nachdruck zu verleihen.

Im 12. Jahrhundert standen sich schließlich zwei mächtige Familien im Endkampf um die regionale Vorherrschaft gegenüber: die Taira und die Minamoto. Die Taira konnten sich kaiserlicher Abstammung rühmen, aber auch die Minamoto zählten zu ihren Ahnherren den Kaiser Seiwa (858–867). Beide Kriegerfamilien gliederten sich in mehrere Zweige, wobei der Hauptzweig der Taira anfangs seine Machtbasis im Osten besaß; durch den wachsenden Druck der erstarkenden Minamoto aber verschob sich die Basis nach Westen, an die beiden Küsten der Inlandsee. Die Minamoto dagegen stützten anfangs ihre Macht auf den Einfluß bei Hofe, als sie zu den sprichwörtlichen «Klauen und Zähnen» der herrschenden Familie Fujiwara wurden. Nach mehreren Feldzügen gegen die Taira im Osten und Nordosten konnten die Minamoto in den folgenden Kämpfen gegen aufsässige Provinzhauptleute und gegen die noch immer unbesiegten Ainu in diesem Gebiet festen Fuß fassen. Ein Nachfolgestreit der kaiserlichen Familie gab 1160 den Taira die Möglichkeit, sich durch die Wahl der richtigen Seite in der Auseinandersetzung den entscheidenden Einfluß im Lande zu sichern. Anführer und Familienoberhaupt der Familie war Taira Kiyomori, der 1160 die Minamoto vernichtend schlagen konnte. Nach dem Sieg der Taira geriet das Kaiserhaus unter den entscheidenden Einfluß dieser Familie, obwohl die Fujiwara unverändert ihre hohen Titel beibehielten. Kiyomori begnügte sich damit, die politische Leitung des Landes indirekt, über Einflußnahme auf den Kaiser auszuüben.

Auf den Thron hob er seinen Enkel Antoku. Mitglieder der Taira-Familie wurden auf hohe Provinzposten berufen, die Sippe kontrollierte mehr als 500 Gutsdomänen. Kiyomori baute den innerjapanischen Handel aus, vergrößerte die Häfen im Westen und an der Inlandsee, und ein nicht unbeträchtlicher Teil des Taira-Vermögens kam aus dem lukrativen Handel mit

China. Die Loyalität ihrer Gefolgsleute sicherten sich die Taira durch die Vergabe von Lehen und Nutzungsrechten auf den Landgütern.

3.2 Sieg der Minamoto- und Kamakura-Zeit

In dem Machtkampf gegen die Minamoto beging Kiyomori einen schweren Fehler: Nach den harten Kämpfen zwischen Truppen der Taira und der Minamoto in den Straßen Heiankyos (1160) verschonte er das Leben seines Hauptwidersachers Minamoto Yoshimoto und seiner Söhne, die von Truppen der Taira gefangengenommen worden waren. Zwei dieser Söhne, Yoshitsune und sein älterer Bruder Yoritomo, stürzten später die Taira. Die überlebenden Minamoto wurden nach Osten, auf die Halbinsel Izu, verbannt.

Gefährlichere Gegner aber saßen in Kyoto: Der abgedankte Kaiser Go-Shirakawa intrigierte gegen Taira Kiyomori. Er verbündete sich mit den Minamoto, und 1180 kam es zu einem neuen blutigen Krieg zwischen den beiden Familien. Kiyomori starb 1181, und vier Jahre später wurden die Taira von den Armeen der Minamoto in der Schlacht von Dannoura (1185) ausgelöscht. Yoritomo erhielt den Titel *Shogun* vom Kaiser, der zuvor Feldherren verliehen wurde, wenn sie gegen die Ainu zu Feld zogen; er behielt den Titel bis an sein Lebensende. Nach Beendigung der Kämpfe verwandelte Yoritomo die militärischen Institutionen in Verwaltungsorgane und errichtete in seinem militärischen Hauptquartier Kamakura ein Verwaltungszentrum, von dem aus er als Shogun am Kaiserhof in Heiankyo vorbeiregierte. Nach seinem Herrschaftssitz trägt die Epoche den Namen Kamakura-Zeit (1185–1333).

Yoritomo zerstörte keine der übernommenen Einrichtungen, sondern überlagerte das bestehende Regierungssystem durch eine Machtstruktur eigener Prägung, das sog. Bakufu («Zeltregierung»). Im Bakufu legitimierte der Shogun als tatsächlicher politischer Machthaber seinen Herrschaftsanspruch durch den Auftrag des Kaisers. Die konkrete Macht lag von nun an in den Händen der Militärregenten, die Hofaristokratie begnügte sich mit der Zusicherung, daß ihnen auch weiterhin Einnahmen aus den Gutsdomänen zufließen würden, damit sie ihren gewohnten Lebensstil beibehalten konnten.

Yoritomo starb 1199, und nach ihm trugen zwei seiner Söhne kurze Zeit den Titel Shogun, aber beide lebten nicht lange genug, um die folgenden Ereignisse entscheidend beeinflussen zu können. Die reale Macht verlagerte sich jetzt von den Minamoto weg auf eine verbündete Familie, die Hojo. Jahrzehntelang waren Mitglieder dieser Familie Regenten für die Titelinhaber des Shogunats. Die ungeheure Macht der Hojo zeigte sich in einem militärischen Konflikt mit dem Kaiserhof: Der abgedankte Kaiser Go-Toba hatte versucht, Lehensländereien, die für die Hojo bestimmt waren, anderweitig zu vergeben. In den folgenden Kämpfen vernichteten die Hojo die Truppen des Kaisers, und Go-Toba mußte in ein elendes Exil auf ein abgelegenes Inselchen gehen. Auf dem Höhepunkt ihrer Macht standen die Hojo nicht unter Führung eines Mannes, sondern der Sippenverband wurde von einer energischen Frau mit fester Hand zusammengehalten: Hojo Masako (1156–1225) ist eine der eindrucksvollsten Persönlichkeiten der japanischen Geschichte. Unter den Hojo konnte Japan eine vergleichsweise lange Zeit inneren Friedens erleben, denn die Bakufu-Herrscher sorgten dafür, daß nur Kaiser auf den Thron kamen, die den Hojo wohlgesonnen waren. Darüber hinaus wurde eine Zweigfamilie der Hojo in Heiankyo angesiedelt, um bei Hofe die Machtinteressen des Bakufu durchzusetzen.

Die schwerste Bedrohung des Kamakura-Bakufu kam nicht durch innere Unruhen, sondern durch äußere Gefahren: 1264 hatte der Mongolenherrscher Kublai Khan China erobert und Beijing zur Hauptstadt seines gewaltigen Reiches gemacht, wenig später schickte er sich an, auch Japan seinem Herrschaftsgebiet einzuverleiben. Fünfmal erschienen mongolische Gesandtschaften in Japan und forderten das Land zur Unterwerfung auf, jedesmal lehnte das Bakufu ab bzw. beantwortete die Aufforderungen nicht. 1274 begann der erste mongolische Invasionsversuch. Kampferprobte mongolische Truppen, die auf koreanischen Schiffen nach Japan übergesetzt waren, griffen die Nordwestküste von Kyushu an; der Angriff erfolgte in eben jenem Gebiet, das fünfhundert Jahre zuvor befestigt worden war, weil die japanischen Herrscher jener Zeit einen Angriff aus Korea befürchteten. Die japanischen Verteidiger leisteten Widerstand, aber sie wären unterlegen gewesen, wenn nicht ein gewaltiger Sturm die mongolische Flotte vernichtet hätte. Fünf Jahre später begannen die Mongolen einen neuen Invasionsversuch, wieder auf Kyushu – und wieder wurde die Invasionsflotte durch einen schweren Taifun vernichtet. Seither hat dieser Sturm eine besondere Bezeichnung: Kamikaze («Götterwind»). Zehntausende von Mongolen und chinesischen Soldaten kamen in diesem Sturm um, und nie wieder wurde von da an der Versuch unternommen, Japan von China aus zu erobern. Die Furcht vor einer Mongoleninvasion aber blieb in Japan lebendig, und die Verteidigungsanlagen auf Kyushu wurden besonders gepflegt.

3.3 Die Muromachi-Zeit

Kaiser Go-Daigo lebte wie sein Vorfahre Go-Toba auf der Insel Oki im Exil. Anders als dieser starb er jedoch nicht dort, sondern machte sich einen Sinneswandel großer Ritterfamilien aus den Ostprovinzen zunutze. Er zog die beiden Sippen Nitta und Ashikaga auf seine Seite, die sich mit den Hojo überworfen hatten. 1333 wurden in einer Schlacht bei Kamakura die letzten Hojo vernichtet. Go-Daigo kehrte zurück. Aber nicht der Kaiser wurde wieder in seine angestammten Herrschaftsrechte eingesetzt, sondern an die Stelle der Hojo trat jetzt eine andere Kriegerfamilie und ergriff die politische Macht im Lande: die Ashikaga. Diese Machtübernahme brachte dem Land jedoch keinen Frieden: Kaiser Go-Daigo widersetzte sich dem Herrschaftsanspruch der Ashikaga und verließ Heiankyo. Er errichtete eine neue Residenz südlich der alten Hauptstadt, während die Ashikaga dort einen anderen Kaiser auf den Thron setzten. So ist das 14. Jahrhundert gekennzeichnet durch eine tiefe Spaltung: Im «nördlichen Hof» (Heiankyo) ernannte der Kaiser den mächtigen Ashikaga Takauji zum Shogun (1338), aber vom «südlichen Hof» aus konnte Kaiser Go-Daigo mit Hilfe mächtiger Kriegerfamilien sich dem Herrschaftsanspruch der Ashikaga und «ihrer» Kaiser widersetzen. Ashikaga Takauji hatte seine Residenz nicht in Kamakura, sondern in einem Stadtteil von Heiankyo, in Muromachi, aufgeschlagen. Die Epoche der Ashikaga-Herrschaft wird nach dieser Residenz auch die Muromachi-Zeit genannt. Den Höhepunkt ihrer Macht erreichten die Ashikaga unter Ashikaga Yoshimitsu (1358–1408); in dieser Zeit erkannten auch die chinesischen Ming-Kaiser Yoshimitsu als «König von Japan» an. Diese offizielle Anerkennung Yoshimitsus durch den chinesischen Kaiserhof folgte einer Niederschlagung der japanischen Piraten, die Ende des 14. Jahrhunderts immer wieder die Küsten Chinas plünderten. Nach der Niederwerfung dieser Piraten wurden zwischen China und Japan wieder offizielle Handelsbeziehungen aufgenommen, von deren Erlösen das Haus Ashikaga beträchtlich profitierte.

Der Konflikt zwischen den beiden Kaiserhöfen endete 1392, als der «Südkaiser» nach Kyoto zurückkehrte und freiwillig auf seine Thronansprüche verzichtete. Nach dem Tode Takaujis neigte sich die Macht der Ashikaga schnell ihrem Ende zu: Wieder suchten mächtige Familien einander die Macht streitig zu machen, die längst nicht mehr bei den Ashikaga lag. Blutiger Höhepunkt dieser Auseinandersetzungen war der sog. Onin-Krieg (1467–1477), der elf Jahre lang in den Straßen Kyotos und in der Umgebung der Hauptstadt tobte. Ausgelöst wurde der Krieg durch den Streit zweier Familien um die Kontrolle über das Bakufu in Kyoto. Wieder fiel die alte Hauptstadt in Schutt und Asche, und als die streitenden Fürsten schließlich ihre Truppen abzogen, um Aufstände in ihren Heimatprovinzen niederzuwerfen, war Kyoto praktisch zerstört. Vernichtet war danach auch die politische Zentralgewalt: An die Stelle eines straff geführten einheitlichen Staatswesens trat der Machtanspruch örtlicher Kriegsherren und mächtiger Lehensfürsten, der Daimyo. Von der zweiten Hälfte des 15. Jahrhunderts bis zur endgültigen Einigung des Landes, rund hundert Jahre später, wurde Japan von einer Folge blutiger Bürgerkriege erschüttert, die dem Jahrhundert ihren Namen gaben: das «Jahrhundert der kämpfenden Provinzen» (*sengoku-jidai*).

4. China-Handel und innere wirtschaftliche Entwicklung

Seltsamerweise beeinträchtigten die Kämpfe im Inneren nicht den Chinahandel und andere wirtschaftliche Aktivitäten. An die Stelle der Ashikaga traten jetzt zwei Familien, die den Außenhandel mit China abwickelten: Die Hosokawa im östlichen Teil der Inlandsee taten sich mit den Kaufleuten der politisch weitgehend unabhängigen Stadt Sakai (heute Stadtteil von Osaka) zusammen, die Familie Ouchi dagegen betrieb über die Hafenstadt Hakata (Nord-Kyushu) Chinahandel. Nicht nur der geregelte Chinahandel brachte begehrte chinesische Güter nach Japan, auch japanische Piraten (*wako*) betrieben an den Küsten Chinas und Koreas sog. «Raubhandel». Schon seit vielen Jahrzehnten waren die beiden «freien Städte» Sakai und Hakata Zentren des Chinahandels. Insgesamt elf Handelsexpeditionen wurden zwischen 1432 und 1549 unternommen. Hauptausfuhrgüter Japans waren Schwerter (bei einer Reise 37 000 Stück auf einmal), Kupfererz, Schwefel und Edelhölzer, die nach der Einfuhr aus Südostasien weiterverarbeitet reexportiert wurden. Haupteinfuhrgüter aus China waren Kupfermünzen, Seidenstoffe, Porzellan und vor allem Bücher. Chinesische Münzen waren ein gängiges Zahlungsmittel im Japan jener Zeit, bevor wieder eigene Münzen geschlagen wurden. Gehaltszahlungen und Steuern erfolgten in diesen Münzen oder wurden auf Münzbasis berechnet. Dieses Geldwesen eröffnete auch die Möglichkeiten, Kredite zu vergeben und verzögerte Zahlungsziele einzuräumen, beides Grundvoraussetzungen, die das Wirtschaftsleben auch in einer Zeit innerer Unruhen voranbrachten. Die fortwährenden Kämpfe förderten teilweise sogar die wirtschaftliche Expansion: Große Armeen bewegten sich über lange Strecken und mußten auf den Märschen versorgt werden. Bereitstellung, Transport und Lagerung von Versorgungsgütern ließen ein über das Land verstreutes Unternehmertum entstehen. Im Gefolge dieser Entwicklungen begann sich in Teilbereichen sogar eine Produktion für den Markt abzuzeichnen, es entwickelte sich ein innerjapanisches Handelssystem. Zentren dieses Handels waren nicht nur die alten Hafenstädte wie Hakata oder Sakai, sondern die neu aufblühenden Burgstädte (*jokamachi*) entwickelten sich ebenfalls zu Handelszentren. Waren wurden zunehmend in großen Mengen gehandelt, und die Herausbildung weit auseinanderliegender Märkte, vor allem für Reis und andere Grundnahrungsmittel, ließ eine Schicht von Großhändlern entstehen.

Besonders die Reishändler organisierten sich bald zu einer einflußreichen Interessengruppe. Bereits um 1400 gab es in Kyoto einen zentralen Reismarkt, dessen Reiskaufleute das Monopol zur Lagerung und zum Verkauf von Reis an die Bevölkerung der Hauptstadt besaßen. Verkauft wurden die Reismengen in einer Art Auktion, und die dabei erzielten Preise dürften mit Sicherheit auch Einfluß auf die Preisentwicklung für Reis auf anderen Märkten des Landes gehabt haben. Bei Niedergang des Ashikaga-Bakufu waren die Reishändler so mächtig geworden, daß sie den Reispreis willkürlich in die Höhe treiben konnten, indem sie die Zulieferung neuer Reismengen blockierten und verfügbaren Reis horteten. Die Bakufu-Regierung war zu schwach, um gegen die Reiskaufleute von Kyoto vorgehen zu können, zumal eine ganze Reihe der Kaufleute zugleich das Ehrenamt «Kaiserlicher Sänftenträger» bekleidete und dadurch vor Strafverfolgung sicher war. Nicht nur die Reiskaufleute, auch die Handwerker begannen sich in Gilden zu organisieren. In den Provinzen gruppierten sich diese Gilden um einzelne Märkte, wo mit Reis, Textilien, Eisen und Bambus gehandelt wurde; in den großen Städten, besonders in Kyoto, organisierten sich die Handwerker in Zünften nach ihrer Spezialisierung (*za*). Noch heute erinnern in einigen Städten Stadtteilbezeichnungen an solche Gilden, so z. B. Zaimokuza (Gilde der Holzhändler) in Kamakura oder Ginza (Silberhändler) in Tokyo. Alle Gilden hatten monopolistische Tendenzen; ihre Oberhäupter besaßen beträchtliches Prestige, das mit der erfolgreichen Abwehr konkurrierender Gilden stieg. Die hemmungslose Ausnutzung ihrer monopolistischen Macht brachte auch das Ende der *za*: Im Verlauf der inneren Unruhen verloren die Händler- und Handwerkerorganisationen wie auch die Zusammenschlüsse von Produzenten wichtiger Rohstoffe (meist reiche Bauern) den Schutz mächtiger Fürsten und büßten damit ihre wirtschaftliche Sonderrolle ein. Darüber hinaus hatten die *za*-Monopole sich als hinderlich für den Warenverkehr erwiesen und waren auch unter ökonomischem Aspekt überholt. Für die Wirtschaftsgeschichte folgender Jahrhunderte aber ist es wichtig festzuhalten, daß selbst in einer Epoche schwerer innerer Kämpfe ein dynamisches Wirtschaftsleben mit wohl-organisierten Sonderinteressen entstehen konnte. Im 15. und 16. Jahrhundert wurden die wirtschaftlichen und organisatorischen Grundlagen späterer rascher Wirtschaftsentwicklung gelegt.

5. Die Epoche der Bürgerkriege (Sengoku-jidai)

5.1 Der erste Einiger Japans: Oda Nobunaga

Die Autorität der Ashikaga-Shogune als politischer Zentralgewalt war fast völlig geschwunden, als der regionale Machthaber und Kriegsherr Oda Nobunaga (1534–1582) in der zweiten Hälfte des 16. Jahrhunderts nach der Macht griff und den Einigungsprozeß in Gang setzte. In der Kamakura-Zeit hatten die Minamoto-Shogune ausschließlich loyale Gefolgsleute zu Provinzgouverneuren ernannt; die Lehenstreue dieser Fürsten sicherte die Macht der Minamoto. Auch zu Nobunagas Zeit wurden die Provinzgouverneure noch von Kyoto aus ernannt, aber der letzte Rest von Loyalität, der sie noch mit den Ashikaga-Shogunen in Kyoto verband, war während der Jahrzehnte der Bürgerkriege (*sengoku-jidai*) endgültig ausgelöscht worden. Die Provinzen hatten sich zu weitgehend unabhängigen Kleinstaaten entwickelt, die von selbstbewußten Fürsten mit eigenen politischen Interessen regiert wurden. Manche dieser Fürsten kontrollierten sogar mehrere Provinzen und vereinigten auf sich mehr reale Macht als der Hof des Shogun in Kyoto; der Kaiser war ohnehin zu einem politischen Schattendasein verurteilt. In dieser Zeit entstand der Begriff Daimyo (wörtlich: großer Name) als Bezeichnung eines mächtigen Provinzfürsten.

Der Kampf um regionale Vormacht mit wechselnden Bündnissen und immer neuen Fronten prägte die erste Hälfte des 16. Jahrhunderts. In die Kämpfe waren alle Schichten der Bevölkerung verwickelt: Nicht nur die Ritterheere der Daimyo prallten aufeinander, sondern auch die Bauern verschafften sich Waffen und organisierten Selbstschutzvereinigungen, um ihre Dörfer gegen die plündernde Soldateska zu verteidigen. Immer wieder kam es auch zu Bauernaufständen, die durch unerträgliche Steuerlasten ausgelöst wurden. In einigen Regionen stellten sich an die Spitze solcher Aufstandsbewegungen buddhistische Mönche, besonders aus der Sekte des «Reinen Landes» (*jodo shinshu*), die früher von den Rittern verachtet worden war. Die Daimyo machten sich die Kampfkraft leicht bewaffneter, beweglicher Fußsoldaten zunutze, und zunehmend wurden Bauern als Soldaten angeworben. Die Form des Kampfes Ritter gegen Ritter zu Pferd wich zunehmend dem Kampf großer Heere von Fußsoldaten.

Die Schlachtfelder hallten schon wider vom Lärm einer neuen Zeit: An allen Fronten der Bürgerkriege wurden bereits Musketen-Schützen eingesetzt, die Epoche der Samurai in ihren prunkvollen Rüstungen neigte sich dem Ende zu. Einige der «Bauernsoldaten» stiegen zu Heerführern auf und erlangten Macht und Ruhm; so heißt es von dem späteren Machthaber Toyotomi Hideyoshi, daß er anfangs zu diesen namenlosen Fußsoldaten Nobunagas gehörte.

Mit 25 Jahren hatte Oda Nobunaga in seiner Heimatprovinz Owari (in der Nähe des heutigen Nagoya) die Macht an sich gerissen. Kaum war seine Stellung konsolidiert, als er auch schon plante, sein Einflußgebiet im Westen bis nach Kyoto auszudehnen. 1560 besiegte er seinen Hauptrivalen, den Daimyo der Provinzen östlich von Owari. Bevor Nobunaga nach Kyoto marschierte, verbündete er sich mit dem Fürsten von Mikawa, einer Provinz, die unmittelbar an Owari angrenzte; dieser Fürst war Tokugawa Ieyasu. Weitere Bündnisse mit mächtigen Familien anderer Provinzen sicherten seinen Vorstoß in die Hauptstadt. 1568 verjagte Nobunaga den letzten Ashikaga-Shogun aus Kyoto und etablierte damit 1573 seine Macht im Gebiet zwischen Kyoto und Osaka.

Nobunagas härteste Gegner auf dem Weg zur gewaltsamen Einigung des Landes waren die schwerbewaffneten Mönche in den Klöstern auf dem Hiei-zan, östlich von Kyoto. Von den hochgelegenen Klosteranlagen aus hatten die Kriegermönche des Hiei-zan immer wieder Kyoto angegriffen; wer immer in Kyoto die Macht beanspruchte, mußte die Mönche fürchten. In einer seltsamen Verkehrung der buddhistischen Lehre glaubten einige der Sekten in diesen Klöstern, daß der Tod auf dem

Schlachtfeld unmittelbar in das Nirvana (d. h. den Ausbruch aus dem Wiedergeburtenkreislauf) führte – diese Mönche waren furchtbare Gegner. Frühere Herrscher hatten stets gezögert, die Klöster direkt anzugreifen, weil sie sich scheuten, heilige Stätten zu zerstören. Nobunaga hatte diese Skrupel nicht: 1571 schlossen seine Truppen den Berg ein, die bewaldeten Hänge wurden in Brand gesetzt, und seine Soldaten machten jeden nieder, der den Flammen zu entkommen suchte. In dem Gemetzel kamen Zehntausende von Mönchen, Nonnen, aber auch viele Kinder um, zahllose Kunstschätze verbrannten. Ein Teil der mächtigen buddhistischen Sekten war damit besiegt, aber andere große buddhistische Gruppen leisteten weiterhin Widerstand. Nach langen Belagerungen starker Klosterfestungen, besonders im Raum Osaka, die von See aus mit Nachschub versorgt werden konnten, schloß Nobunaga auf Vermittlung des Kaisers endlich Frieden mit den buddhistischen Sekten.

Als der Widerstand der buddhistischen Gruppen erloschen war, wandte sich Nobunaga gegen die Daimyo im Osten: Gestützt auf das Bündnis mit Tokugawa Ieyasu vernichtete er die mächtige Familie Takeda, deren Machtbasis im Westen des heutigen Tokyo lag. Nach diesem Sieg suchte Nobunaga im Westen den Herrscher über diesen Teil der Hauptinsel Honshu zu unterwerfen. An der Spitze seiner Heere standen zwei Männer, denen Nobunaga bedingungslos vertraute: Akechi Mitsuhide und – Toyotomi Hideyoshi. Der Feldzug blieb ohne Ergebnis; im Sommer 1582 kehrte Akechi nach Kyoto zurück und wandte sich gegen seinen Oberherrn: Er überfiel Nobunaga in einem Kloster und ermordete ihn. Auf die Nachricht von der Ermordung Nobunagas schloß Hideyoshi sogleich Frieden mit der Familie, die den restlichen Teil Honshus beherrschte, und eilte nach Kyoto zurück. Seine Armee vernichtete die Truppen Akechis, der selbst fiel. Nobunaga hatte mit militärischer Gewalt den Einigungsprozeß des Landes begonnen, aber er hatte stets darauf geachtet, militärische Erfolge durch weitblickende Verwaltungsmaßnahmen abzusichern. Dazu gehörte ein Ausbau der Verkehrswege, die Errichtung starker Burgen an strategisch wichtigen Punkten, insbesondere an den Verbindungsstraßen zwischen den westlichen und östlichen Provinzen des Landes. In den Gebieten, die er seinem Herrschaftsbereich einverleibt hatte, standardisierte Nobunaga die Währung, er setzte die Straßen nach den Kämpfen instand und beseitigte die Grenzabgaben auf den Warenverkehr zwischen den Provinzen.

5.2 Stratege und Diplomat: Toyotomo Hideyoshi

Toyotomi Hideyoshi führte das Einigungswerk seines Vorgängers fort. Der neue Machthaber hatte eine beispiellose Karriere hinter sich: In einer Epoche, in der hohe Positionen in Militär und Politik ausschließlich Samurai-Adligen oder der Hofaristokratie vorbehalten waren, stieg er vom Sohn einfacher Bauern zum Herrscher Japans auf, der mit dem Kaiser von China und dem König von Spanien auf gleicher Stufe Briefe tauschte. Oda Nobunaga hatte seine Einigungsversuche mit unglaublicher Brutalität und ohne jeden Skrupel vorangetrieben: Besiegte Gegner ließ er gnadenlos niedermetzeln; von ihm ist die Anweisung erhalten, überlebende Feinde – vor allem auch die bewaffneten Bauern – «auf allen Bergen und in allen Tälern» (yama, yama, tani, tani) aufzuspüren und zu vernichten, die berüchtigten «Schwertjagden» Nobunagas. Die Jesuiten-Missionare, denen Nobunaga Schutz gewährte, zeichnen in ihren Berichten an den Ordensgeneral ein positives Bild des Gewaltherrschers, aber nur wenige japanische Historiker haben an dem brutalen Machtmenschen gute Seiten entdeckt.

Hideyoshi verfolgte eine gänzlich andere Politik: Der erfahrene Feldherr nahm Belagerungskämpfe und Feldschlachten an, wenn seine Gegner sie ihm aufzwangen, stets aber bevorzugte er eine Verhandlungslösung vor blutigen Kämpfen. Nicht selten gelang es ihm, seine Gegner allein durch die Demonstration gewaltiger militärischer Macht und nicht durch ihren Einsatz zur Aufgabe zu bewegen. Im Jahre 1582 bezwang Hideyoshi die mächtigen Familien des westlichen Honshu, drei Jahre später unterwarfen sich nach Feldzügen die nördlichen Provinzen und die Fürstentümer auf der Insel Shikoku. Die Vorherrschaft auf der Insel Kyushu hatte die Familie Shimazu in der Provinz Satsuma (heute Provinz Kagoshima). Mit einem Heer von über 230 000 Mann marschierte Hideyoshi 1587 gegen die Shimazu und drängte die Truppen dieser Familie bis nach Kagoshima zurück, wo die Shimazus auf ihrer Stammburg Zuflucht suchten. Hideyoshi lagerte sein gewaltiges Heer in den Bergen um die Burg und begann einen Nervenkrieg mit Drohgebärden: Die Shimazu gaben schließlich nach und unterwarfen sich Hideyoshi; als Gegenleistung konnten sie den größten Teil ihrer Ländereien behalten, nur der Norden der Insel Kyushu wurde der direkten Herrschaft Hideyoshis unterstellt. Die letzte Schlacht auf japanischem Boden schlug Hideyoshi 1590 gegen die Familie Hojo, einem Zweig der früher so mächtigen Hojo-Sippe. Nach dem Sieg befahl Hideyoshi den Familienoberhäuptern, rituellen Selbstmord (*seppuku* bzw. *harakiri*) zu begehen. Die gesamten Ländereien der Hojo in der reichen Kanto-Ebene wurden Hideyoshis wichtigstem Verbündeten bei diesem Feldzug, Tokugawa Ieyasu, zugesprochen. Zugleich gab Ieyasu die Ländereien seiner Heimatprovinzen an Hideyoshi, der sie unter seinen Lehensmännern aufteilte. Damit erreichte Hideyoshi eine Verlagerung der Machtbasis des zweitmächtigsten Mannes im Lande weiter nach Osten, also in weitere Entfernung von den strategischen Gebieten seines Reiches in West- und Zentral-Honshu. Diese regionale Umverteilung mit ihren machtpolitischen Folgen ist typisch für die Herrschaftsform Hideyoshis: Seine Einigungspolitik basierte nicht ausschließlich auf militärischer Gewalt und blankem Despotismus, sondern auf Verhandlungsgeschick, Überzeugungskraft und Interessenausgleich. Die ehemals mächtigen, selbständigen Daimyo verloren nicht über Nacht ihre Position. Mancher Provinzfürst, der sich gegen Hideyoshi gestellt hatte, mußte seine Ländereien zwar an die Gefolgsleute des Siegers abtreten, aber alte und neue Daimyo wurden auf die Loyalität zum Kaiser verpflichtet; sie mußten einen Eid schwören, dem Kaiser und seinem Regenten (d.h. Hideyoshi) unbedingten Gehorsam zu leisten.

Nach dem Abflauen der Kämpfe machte Hideyoshi sich daran, die Verwaltungsstruktur des Landes zu straffen und zu stabilisieren. Grundvoraussetzung für eine effiziente Verwaltung war eine umfassende Vermessung des Landes, die Bestandsaufnahme der Besitzungen aller Daimyo und danach die Festlegung neuer Steuern und Abgaben. Die enorme Aufgabe der Landvermessung wurde zwischen 1582 und 1598 abgeschlossen, und Hideyoshi war danach im Besitz genauester Daten über die Ausdehnung der Ländereien einzelner Daimyo, über Berge und Flüsse in den Besitztümern, die genaue Lage von Städten und Dörfern und den Verlauf von Straßen. Art und Erntemengen verschiedenster Feldfrüchte und Handwerkserzeugnisse wurden erfaßt, so daß die neu entstehende Zentralregierung unter Hideyoshi über erstklassiges Datenmaterial verfügte, um neue Steuern festzulegen. Dennoch war das Land nicht vollständig befriedet. Auch Hideyoshi mußte wie sein Vorgänger Nobunaga auf «Schwertjagden» gehen, um die wehrhaften Bauern zu entwaffnen. 1588 erließ er ein Dekret, das eben jene Schicht entwaffnen sollte, der er selbst entstammte. Der Befehl, sämtliche Waffen abzuliefern, erstreckte sich natürlich nicht auf die Samurai, sondern nur auf die «Bauernkrieger», also jene Schicht, die sich als Fußsoldaten zwischen den berittenen Samurai und den «echten» Bauern herausgebildet hatte. Bis zu dem Erlaß Hideyoshis hatte es als Ergebnis der blutigen Bürgerkriege keine scharfe Trennung zwischen rangniedrigen Samurai und bewaffneten Bauern gegeben. Jetzt mußten die «Bauernkrieger» sich endgültig zwischen dem Soldatendienst und der Feldarbeit entscheiden.

Hideyoshis «Schwertjagden» waren nach den Quellen ein voller Erfolg: Die wehrhaften Bauern wurden nicht nur entwaffnet, sondern auch an den Boden gebunden, den sie bestellten. Die Maßnahmen schufen eine Gesellschaftsordnung, in der die schwerttragenden Samurai scharf von den übrigen sozialen Schichten als besonders Privilegierte getrennt waren. Vorgegeben war damit eine Grundeinstellung der herrschenden Elite, die bis weit in das 19. Jahrhundert hineinreichte: Die Bauern sollten eingeschüchtert werden; sie mußten in ihren Dörfern bleiben, hart arbeiten, Abgaben zahlen und damit das Wirtschaftsleben finanzieren (obwohl die Abgaben bis in das 19. Jahrhundert in Naturalien erfolgten), im übrigen aber waren alle politischen und militärischen Angelegenheiten den sozial Höherstehenden überlassen. Schwerter waren von nun an nicht nur Waffen, sondern auch sichtbare Abzeichen privilegierter Position in der Gesellschaft: Die zwei Schwerter kennzeichneten bis in die siebziger Jahre des 19. Jahrhunderts die allmächtigen Samurai. Aber nicht nur die «Ritter» trugen Schwerter als Symbole ihrer Sonderrechte, sondern später wurde auch geachteten Persönlichkeiten außerhalb des Samurai-Standes gestattet, Schwerter als Ehrenzeichen ihrer herausgehobenen Position zu tragen. Dazu gehörten die «Bürgermeister» bedeutender Dörfer und eine Anzahl von kleinen Beamten, die im Randgebiet des Samurai-Standes angesiedelt waren. Solche Amtsinhaber trugen jedoch nur ein Schwert; das Recht, zwei Schwerter in der Gürtelschärpe zu tragen, blieb allein den Samurai vorbehalten.

5.3 Außenpolitisches Abenteuer: Koreafeldzug

Unter der Herrschaft Hideyoshis kündigte sich zwar an, daß aus den kampferprobten Samurai der Sengoku-Ära allmählich eine Verwaltungselite entstand, deren Hauptaufgabe nicht mehr der Kampf gegen unbotmäßige Provinzfürsten war, sondern die Steuerung eines befriedeten und geeinten Landes. Aber Hideyoshi mußte das Hauptproblem eines Siegers nach langen Kämpfen lösen: Die weitere «Beschäftigung» großer Kriegerscharen, die nichts anderes als den Kampf kannten. Hideyoshi wählte hier die Lösung des außenpolitischen Abenteuers: Im Frühjahr 1592 entsandte er seine Truppen gegen China. Das Abenteuer begann mit einer Invasion Koreas: Eine gewaltige Armee von über 200 000 Mann kämpfte sich in wenigen Wochen bis nach Seoul durch, so daß dieses Abenteuer anfangs vom Erfolg begünstigt schien. Als sich die Armeen Hideyoshis jedoch dem Grenzfluß zwischen Korea und China, dem Yalu, näherten, wendete sich das Blatt: Wie immer, wenn Gegner des chinesischen Reiches den Grenzfluß Yalu zu überschreiten drohten, warf die chinesische Führung in Beijing alle verfügbaren Truppen dorthin. Die japanische Armee wurde nach erbitterten Kämpfen zum Rückzug gezwungen; es folgten Kämpfe, die sich über sechs Jahre hinzogen, ohne daß ein entscheidender Sieg errungen wurde. Hideyoshi hatte nie selbst seine Invasionstruppen kommandiert, sondern die Führung des Feldzuges seinen vertrauten Generälen überlassen. Als er 1598 starb, beendeten die Heerführer das abenteuerliche Unterfangen einer Eroberung Chinas, die japanischen Truppen zogen sich zurück. Opfer dieser wohl schon größenwahnsinnigen Eroberungspläne – wenn es denn Hideyoshi mit seinen Absichten Ernst gewesen ist – waren die Koreaner: Die japanischen Truppen wüteten brutal unter ihren koreanischen Opfern.

5.4 Politische Neuordnung nach Hideyoshis Tod

Es gab noch einen weiteren Grund für das Scheitern des japanischen Feldzuges gegen China, der sich nicht aus der überlegenen militärischen Kraft des chinesischen Kaiserreiches herleitete: Die beiden Feldherren des japanischen Heeres waren miteinander verfeindet, denn der eine war fanatischer Buddhist der Nichiren-Sekte, die einen extrem nationalistischen japanischen Buddhismus verfocht, der andere war ein christlicher Daimyo aus Kyushu. Dieser religiös begründete Gegensatz signalisierte spätere Glaubenskämpfe auch in Japan. Hideyoshi hatte anfangs den christlichen Missionaren Schutz gewährt, in einem plötzlichen Sinneswandel ging er aber dann gegen die vornehmlich dem Jesuiten-Orden angehörenden Missionare vor: Er befahl ihnen, innerhalb von 20 Tagen das Land zu verlassen. Dieser Versuch, das erstarkende Christentum zu unterdrücken, war die letzte politische Tat Hideyoshis. Im Sommer 1598 beendete eine schwere Krankheit seine Regierungsgewalt. Schon im Sterben versuchte er, für seinen fünfjährigen Sohn eine Regentschaft der mächtigsten Daimyo herzustellen. Es ging um einen Interessenausgleich zwischen einflußreichen Provinzfürsten, dem Kaiserhof in Kyoto und Kriegerfamilien, die den Toyotomi Gefolgschaft leisteten. Hauptprobleme bei diesem Machtgleichgewicht waren die zunehmenden religiösen Spannungen und die komplizierten Außenbeziehungen Japans. Es gelang den Regenten, die Hideyoshi ernannt hatte, noch, die

Rückführung der japanischen Truppen aus Korea zu organisieren, dann aber zerbrach die gemeinsame Regentschaft. Hideyoshi erhielt niemals den Titel Shogun, sondern er begnügte sich mit der Rolle eines Kanzlers des Reiches, zumal der Träger des formalen Titels Shogun aus der Familie Ashikaga noch lebte. Hideyoshi vereinigte in seiner Person die höchste Macht des Reiches, aber diese Allgewalt endete mit seinem Tode; es gelang ihm nicht, seine Machtfülle an Nachkommen der eigenen Familie weiterzugeben.

Der mächtigste Regent war Tokugawa Ieyasu. Nach dem Tode Hideyoshis blieb nur noch ein Daimyo, der sich dem begründeten Machtanspruch Ieyasus widersetzte: Hideyoshis Sohn Hideyori und seine Gefolgsleute – ein Entscheidungskampf zwischen den beiden Regenten war unvermeidbar geworden. Hideyori flüchtete sich mit seinen letzten Getreuen in die Burg von Osaka – Toyotomi Hideyoshis ganzer Stolz. Aufgefüllt wurden ihre Reihen durch herrenlose Samurai (*rônin*), deren Herren durch Strafmaßnahmen Ieyasus ihre Ländereien verloren hatten und die deswegen einen tiefen Groll gegen die Tokugawa-Herrschaft hegten. 1614 schlossen 70 000 Mann Tokugawa-Truppen die riesige Burg ein und begannen mit der Belagerung. Nach mehreren, immer wieder unterbrochenen Feldzügen fiel die Burg im Juni 1615; die letzten Nachfahren Toyotomi Hideyoshis, darunter auch sein Sohn, begingen entweder Selbstmord oder wurden von Gefolgsleuten getötet, um nicht in die Hände Ieyasus zu fallen.

Als er die Burg von Osaka eroberte, war Ieyasu schon nicht mehr Shogun, denn er hatte 1605 auf diesen Titel verzichtet und ihn seinem Sohn übertragen; er selbst aber lenkte die Staatsgeschäfte unverändert aus dem Hintergrund, eine Tradition, die sich seit dem frühen Mittelalter bewährt hatte. Der Sieg von Osaka markiert den Beginn einer über zweihundertjährigen unangefochtenen Herrschaft der Familie Tokugawa. Als Ieyasu 1616 starb, hatte er die Grundlagen für einen inneren und äußeren Frieden gelegt, der über zweihundertfünfzig Jahre andauerte (*pax Tokugawa*).

5.5 Japans «christliches Jahrhundert» – wirtschaftlicher Aufbruch

Die ersten Europäer, die japanischen Boden betraten, waren vermutlich drei Portugiesen, die um 1542 die kleine Insel Tanegashima südlich von Kyushu erreichten, nachdem die chinesische Dschunke, auf der sie reisten, durch einen Taifun vom Kurs abgekommen war. Die drei waren mit Musketen bewaffnet, die bei ihren japanischen Rettern höchstes Interesse erregten. Die Waffen wurden sehr bald in großer Zahl kopiert, und noch jahrzehntelang bezeichnete man diese Art von Musketen als *Tanegashima*. Die Nachricht von der «Entdeckung Japans» brachte schon bald portugiesische Handelsschiffe nach Kyushu. Die mächtigen Provinzfürsten des westlichen Japan begrüßten diesen Kontakt, denn sie sahen den Außenhandel als eine wichtige Quelle für ihre Macht an. Schon bald entspann sich ein regelrechter Konkurrenzkampf um den Handel mit den portugiesischen Kaufleuten.

An Bord der portugiesischen Schiffe befanden sich auch Missionare, die von den Kaufleuten mit großem Respekt behandelt wurden. Die japanischen Fürsten der westlichen Provinzen übernahmen diese Grundeinstellung, und als der Jesuiten-Missionar Francis Xavier 1549 nach Kagoshima (Süd-Kyushu) kam, wurde er von dem Herrn der dortigen Provinz Satsuma freundlich aufgenommen. In den folgenden Jahren liefen portugiesische Schiffe regelmäßig Häfen in Kyushu an. Aber der direkte Warenaustausch zwischen den europäischen Großmächten und Japan blieb im 16. Jahrhundert ohne Bedeutung. Die portugiesischen Kaufleute fanden schnell heraus, daß ihre japanischen Kunden vor allem chinesische Seidenstoffe wünschten; wegen der Überfälle japanischer Piraten auf chinesische Küstenstädte war es Schiffen aus Japan verboten, Häfen in China anzulaufen; so übernahmen die Portugiesen den Warentransport. Sie lieferten aus ihrer Niederlassung Macao chinesische Seidenstoffe nach Japan und brachten japanisches Silber nach China zurück, das dort auf starke Nachfrage stieß.

Im Jahre 1552 war Francis Xavier nach Goa (Indien) zurückgekehrt und warb für intensive Missionstätigkeit in Japan. Sieben Jahre später waren dennoch erst sechs Jesuiten-Missionare im westlichen Japan tätig; sie erzielten jedoch beachtliche Erfolge: Unter der verarmten bäuerlichen Bevölkerung, aber auch unter den Landesfürsten, die den Handel mit Portugal wünschten, gab es eine ganze Reihe von Bekehrungen. Oda Nobunaga förderte bei seiner gewaltsamen Einigung des Landes die Missionstätigkeit, denn er sah das Christentum als ein willkommenes Gegengewicht zu den militanten buddhistischen Sekten an, die sich seinem Herrschaftsanspruch widersetzten. Unter Nobunaga erreichte die christliche Mission einen Höhepunkt. Nach Schätzungen des jesuitischen Missionszentrums in Goa gab es 1582 etwa 150 000 Christen und 200 meist kleinere Kirchen in Japan. Die Jesuiten unterhielten einige Seminare im Lande, wo Kinder adliger Familien unterrichtet wurden. Nobunaga selbst besuchte eines dieser Seminare und zeigte sich beeindruckt von der Musik, die die Schüler auf europäischen Instrumenten vorspielten.

Einige japanische Historiker haben versucht, den großen Erfolg der christlichen Mission mit rein materialistischen Motiven zu erklären, und sicher haben auch solche Beweggründe eine große Rolle gespielt. Andererseits aber zeigten einige der Daimyo, die sich zum Christentum bekehrt hatten, eine Festigkeit in ihrem Glauben, der sie in einigen Fällen sogar in den Märtyrertod führte. Die Erfolge der Mission unter Bauern und Handwerkern waren leichter zu erklären: Zu einem Teil hatten ihnen ihre Herren kurzerhand befohlen, Christen zu werden; aber die große Mehrheit wurde von den Inhalten der christlichen Lehre angezogen. Mildtätige Gaben der Jesuiten-Missionare lockten sie an und die medizinische Versorgung, wie sie die Missionare in ihren Niederlassungen anboten, war ein weiterer Anreiz. Die christlichen Missionare betrachteten diese verachteten Massen erstmals wirklich als Menschen; in den kleinen christlichen Schulen und Kirchen wurde ihnen Wissen vermittelt, sie waren respektiert. Viele dieser Christen blieben unbeirrt bei ihrem Glauben, als das Christentum schon brutal von den Mächtigen unterdrückt wurde. Unter den Kaufleuten hatten die Missionare so gut wie keinen Erfolg; in der Einschätzung der Jesuiten war diese Schicht «stolz, habgierig und vergnügungssüchtig». Zudem predigten die Jesuiten gegen Wucher und allerlei Tricks beim Warenhandel, so daß die hartgesottenen städtischen Kaufleute Japans sich von der neuen Lehre eher abgestoßen fühlten.

Nobunagas Nachfolger Hideyoshi hatte zum erstarkten Christentum ein weit komplexeres Verhältnis: Einerseits gehörte zu seinen engsten Gefolgsleuten ein christlicher General, und Hideyoshi gestattete den Bau einer Kirche in der Nähe des neuen Riesen-Schlosses von Osaka, die 1583 geweiht wurde. Möglicherweise sah Hideyoshi militärische Möglichkeiten, wo Nobunaga Chancen für den Außenhandel betont hatte. Im Gespräch mit einem portugiesischen Missionar äußerte Hideyoshi vor dem Feldzug nach Korea die Absicht, zwei gut bewaffnete portugiesische Schiffe zu kaufen. Am 25. Juli 1587 aber erließ Hideyoshi ein Edikt, das eine radikale Abkehr von einer toleranten Haltung belegt: Die Christen wurden beschuldigt, die Daimyos zu ermuntern, ihre Untertanen vom alten Glauben abzubringen, Japaner als Sklaven nach China, Korea und andere Teile Asiens zu verkaufen; es wurde ihnen vorgeworfen, Tiere zu töten, um Nahrung zu erhalten (nach buddhistischer Auffassung eine schwere Sünde), und buddhistische Tempel sowie Shinto-Schreine zu zerstören. Ganz unbegründet waren diese Vorwürfe nicht, denn die portugiesischen Kaufleute trieben tatsächlich hier und dort Menschenhandel, und die Jesuiten-Missionare oder ihre Anhänger hatten in Einzelfällen buddhistische Kulturbilder und Gebäude zerstört. Hideyoshis Edikt forderte die Missionare ultimativ auf, sofort das Land zu verlassen. Bis in die Mitte der neunziger Jahre aber hielten andere Entwicklungen, wie die Feldzüge in Japan und die Vorbereitung des militärischen Abenteuers in Korea, Hideyoshi in Atem, so daß das Edikt nicht durchgesetzt wurde. Nach Berichten der Jesuiten-Missionare gab es um 1587, also zum Zeitpunkt des Vertreibungsedikts, mehr als 300 000 Christen in Japan, von denen über 60 000 nach Verhängung des Edikts getauft worden waren.

Ein päpstlicher Erlaß garantierte den Portugiesen das Handelsmonopol östlich der Molukken-(oder «Gewürz»-)Inseln

(Indonesien), und es waren mit wenigen Ausnahmen portugiesische Jesuiten-Missionare, die zu jener Zeit in Japan wirkten. Inzwischen aber hatten die Spanier auf den Philippinen Handelsniederlassungen errichtet, und die spanischen Kaufleute betrachteten mit wachsendem Neid das portugiesische Handelsmonopol in Ostasien. Das Missionsvorrecht der Jesuiten in Japan löste darüber hinaus Erbitterung bei Franziskanern, Dominikanern und bei anderen Orden aus, die auf den Philippinen Missionsarbeit betrieben. Das Ende des portugiesischen Handelsmonopols kam weniger durch die wachsende Konkurrenz spanischer Kaufleute, als vielmehr durch zunehmenden Außenhandel japanischer Kaufleute: Da der Chinahandel für Kaufleute aus Sakai oder Hakata hohe Risiken mit sich brachte, rückte Südostasien stärker in das Blickfeld unternehmender Kaufleute in Japan. Es waren Fernhändler aus Sakai, die schon vor den Spaniern den lukrativen Handel mit den philippinischen Inseln (Manila) entdeckten, nachdem sie bereits Handelsbeziehungen zu malaiischen Fürstentümern und nach Indonesien aufgenommen hatten. 1584 wurde eine spanische Galeone auf dem Weg von Manila nach Macao vom Sturm abgetrieben und lief den Hafen Hirado (Nord-Kyushu) an. Diese Stadt hatte den einträglichen Handel mit portugiesischen Kaufleuten an Nagasaki verloren, und der Daimyo von Hirado ergriff jetzt die Gelegenheit, neue Handelsbeziehungen zu knüpfen. Er fügte seiner Botschaft auch den Hinweis an, daß er Missionare dulden würde, wenn sie keine Jesuiten seien. Die spanischen Kaufleute auf den Philippinen standen solchen Vorstößen jedoch äußerst mißtrauisch gegenüber, hatten japanische Abenteurer doch bereits mehrfach Aufstände der philippinischen Bevölkerung gegen die Spanier angezettelt. Auch erste direkte Kämpfe zwischen japanischen Schiffen und spanischen Galeonen hatte es gegeben.

Solche Konfrontationen waren ein sichtbares Zeichen dafür, daß japanische Fernhändler mehr und mehr den Handelsaustausch mit entfernteren Regionen suchten. Nach der Invasion Koreas durch Hideyoshi war der Chinahandel fast zum Erliegen gekommen, aber Japans herrschende Elite konnte auf die Luxuswaren aus dem chinesischen Kaiserreich nicht verzichten, und so erhielten portugiesische Kaufleute als Zwischenhändler ihre lukrativen Chancen. Ende des 16. Jahrhunderts hatten japanische Kaufleute und Abenteurer, darunter viele herrenlose Samurai, ihre Reisen bis weit nach Südostasien ausgedehnt. Japanische Dschunken segelten bis in abgelegene Regionen der südostasiatischen Inselgruppen, und ständig stieg die Zahl der Japaner, die dort kleine Wohnkolonien bildeten. Um 1550 hatten die Könige in Burma, Siam und Kambodscha schon japanische Leibwachen, gegen 1600 gab es japanische Siedlungen in den meisten Teilen des Fernen Ostens. Eine Kompanie japanischer Soldaten war Teil der portugiesischen Garnison von Malakka, und in Macao gab es eine kleine japanische Siedlung. Um 1605 lebten auf den Philippinen bereits mehrere Tausend Japaner.

Die vorsichtigen, anpassungsfähigen Jesuiten, die in der Frühphase der Herrschaft Hideyoshis so eindrucksvolle Bekehrungserfolge erzielten, hatten unter den Vorgängern der Tokugawa dem Christentum einen vergleichsweise festen Platz in der japanischen Gesellschaft des 16. Jahrhunderts gesichert. Das Vordringen spanischer Kaufleute aus den Philippinen nach Japan und der Zuzug franziskanischer Missionare nach Japan veränderte diese Situation. Wo die Jesuiten sich den Landessitten angepaßt hatten und strikt auf die Einhaltung der Landesgesetze achteten, begannen die Franziskaner-Missionare eifernd Verbote Hideyoshis zu mißachten und in Gebieten zu missionieren, wo der Herrscher jede christliche Betätigung verboten hatte

Tokugawa Ieyasu ging nach seiner Machtübernahme sehr viel weiter. Sein Ziel war die endgültige Ausrottung des Christentums, das er als Vorreiter einer spanischen und portugiesischen Expansion nach Japan ansah. Rückhalt fand er dabei in einer neuen weltpolitischen Entwicklung, welche die Vorherrschaft der portugiesischen und spanischen Kaufleute in Ost- und Südostasien brechen sollte: Englische und niederländische Kaufleute drangen nach Asien vor. Die beiden protestantischen Länder befanden sich im Krieg mit Spanien und Portugal, und dieser Kampf weitete sich weltweit aus. Britische Schiffe tauchten jetzt in Hirado (Nord-Kyushu) auf – die portugiesischen

Missionare verlangten, daß Engländer und Niederländer als Piraten hingerichtet werden sollten. Auf dieses Ansuchen antwortete Ieyasu ganz korrekt: Britische und niederländische Kaufleute hätten ihm und seinen Untertanen keinen Schaden zugefügt. Auch der japanische Außenhandel, der seit den späten neunziger Jahren des 16. Jahrhunderts aufgeblüht war, entwikkelte sich bis weit in die ersten Jahrzehnte des 17. Jahrhunderts fort: Besonders lizenzierte Schiffseigner und Kaufleute trieben Handel mit Indochina, anderen südostasiatischen Fürstentümern und den Philippinen. Diese sog. «Rotsiegel-Schiffe» führten Handelspatente mit sich, die der Shogun mit seinem leuchtend roten Siegel beglaubigt hatte. Sie transportierten Schwerter, Lackwaren, kostbare Metalle, Getreide, Fische und Pferde als Hauptausfuhrgüter Japans und kehrten mit Seiden, antikem chinesischen Porzellan, Seidenstoffen, Weihrauch und Edelhölzern als Haupteinfuhrgütern nach Japan zurück. Ieyasu hatte ein lebhaftes Interesse an allem Ausländischen, und darüber hinaus erhoffte er sich von einem Ausbau des japanischen Fernhandels eine Schwächung der portugiesischen und später spanischen Handelsmonopole sowie die Abwehr der damit verbundenen christlichen Mission. Das Bakufu profitierte auch finanziell von dem intensivierten Außenhandel, denn der Shogun ließ sich für Handelsprivilegien bezahlen und erhob Abgaben auf den Warenwert bei Aus- und Einfuhr. Schließlich konnte durch autorisierten Außenhandel auch die grassierende Piraterie und das Schmugglerunwesen ein wenig eingedämmt werden. Allerdings betrieben Fürstentümer der japanischen Inlandsee noch immer an den chinesischen Küsten Piraterie, die beachtliche wirtschaftliche Vorteile brachte: Über diesen «Raubhandel» gelangten hoch begehrte chinesische Güter nach Japan.

5.6 «Sakoku» – Abschließung von der Welt

Im Jahre 1603 hatte der Kaiser in Kyoto widerstandslos Tokugawa Ieyasu den Titel Shogun verliehen, nachdem der letzte Träger dieses Titels aus der Familie Ashikaga gestorben war. Nur zwei Jahre trug Ieyasu den Titel, dann übertrug er ihn auf seinen Sohn und begnügte sich mit der Überwachung der Staatsgeschäfte aus dem Hintergrund. Die folgenden Shogune übernahmen dieses Modell indirekter Herrschaft, und innerhalb von fünfzig Jahren hatten drei Herrscher der Familie Tokugawa dem Land eine nie gekannte innere Stabilität gebracht und die politischen wie auch wirtschaftlichen Rahmenbedingungen eines starken Staates gelegt. So stark war dieser Staat, daß er unbeirrt den weiteren Bemühungen westlicher Mächte widerstehen konnte, regelmäßige Handelsbeziehungen ohne staatliche Überwachung zu unterhalten. Die Tokugawa-Herrscher, allen voran Ieyasu, hatten beschlossen, das Land gegen die Außenwelt völlig zu isolieren, und sie konnten diesen weitreichenden Beschluß 200 Jahre lang durchsetzen.

Voraussetzung für die innere Stabilität war ein Politikmodell, das Ieyasu nach seinem Sieg von Sekigahara (1600) entwickelt hatte, und ein Verwaltungssystem im Lande, das diese Herrschaftsansprüche auf allen gesellschaftlichen Ebenen umsetzte. Eine Reihe von Gesetzeswerken, die zwischen 1601 und 1616 von Ieyasu erlassen wurden, regelte die Rechte und Pflichten der buddhistischen Klöster, des Kaiserhofes und der Hof-Aristokratie sowie der Daimyo-Familien. Ieyasu und seine Nachfolger überließen die Regelung interner Angelegenheiten der großen buddhistischen Sekten dem Klerus, aber sie stellten aggressive Missionstätigkeit (und die damit verbundene Konfrontation zwischen einzelnen Sekten) unter Strafe. Desgleichen wurden die Verwaltung der buddhistischen Tempel und das Steueraufkommen aus den Landbesitzungen dieser Tempel unter die Aufsicht des Bakufu (Shogunats-Regierung) gestellt. Eine eigene Bakufu-Behörde überwachte die Einhaltung dieser Regelung, die im Grundsatz auch für die Shinto-Schreine des Landes galt.

Ein Hofgesetz (1615) bestimmte bis ins Detail die Bewegungsfreiheit des Kaisers und seiner Höflinge. Der Tenno und sein Hofstaat durften die «Hauptstadt» Kyoto nicht verlassen, ja sogar das «ziellose Umherstreifen durch Straßen oder Avenuen an Plätzen, wo sie keine Geschäfte zu erledigen haben», war der Hofaristokratie untersagt – de facto waren sie im Palastbezirk gefangen. Eindeutiges Ziel dieser gesetzlichen Beschränkungen war es, dem Tenno auf immer die direkte politische Macht zu nehmen. Dem Kaiser blieb das «Recht», den Shogun zu ernennen, er hatte weiterhin priesterliche Funktionen, aber direkte Einwirkungsmöglichkeiten auf das Herrschaftssystem besaß er nicht mehr. Dennoch achteten alle Shogune sorgfältig darauf, daß es eine «goldene Gefangenschaft» für den Tenno blieb: Wann immer Palastgebäude oder Residenzen von Hofadligen verfielen bzw. durch Naturkatastrophen zerstört wurden, beeilte sich die Bakufu-Regierung, die Gebäude wieder instand zu setzen; auch erhielten der Kaiser und sein Hofstaat regelmäßige Zuwendungen aus Tokugawa-Ländereien, deren Erträge speziell für diesen Zweck reserviert waren.

Ieyasu errichtete seine Residenz im Osten, weit entfernt von dem religiös-monarchischen Zentrum Kyoto und der ehemaligen Hochburg seines Gegners Hideyoshi, Osaka. Er wählte das Städtchen Edo, das innerhalb weniger Jahrzehnte zu einer glänzenden Residenz des Bakufu aufblühte und bald auch der alten Wirtschaftsmetropole Osaka den Rang streitig machte. Die Entscheidung Ieyasus für Edo als neuer Hauptstadt ließ die «zwei Augen» Japans entstehen, Osaka und Tokyo (Edo), jene zwei Zentren, deren politische, wirtschaftliche und kulturelle Rivalität bis heute erkennbar ist. Die Residenzstadt Edo profitierte in ihrer Entwicklung von einer Maßnahme, die noch von Hideyoshi getroffen worden war: Die Daimyo des Landes waren gehalten, alle zwei Jahre dem Herrscher ihre Aufwartung zu machen und zu diesem Zweck in die Residenz zu reisen; daneben mußten die Daimyo aufwendige Residenzen in der Stadt des Shogun unterhalten, wo stets auch ein Teil ihrer Familie als Geiseln lebte.

Die Tokugawa waren sich sehr wohl bewußt, daß mächtige Daimyo mit militärischer Gewalt ihren Vormachtsansprüchen Widerstand leisten konnten, deshalb zielten sie darauf, alle Lokalfürsten durch den Residenzzwang und die häufigen Reisen in die Hauptstadt wirtschaftlich zu schwächen. Den gesetzlichen Rahmen für das Verhältnis zwischen Shogunats-Regierung und Daimyo bildete ein Gesetzeswerk, das 1615 verkündet worden war: Danach war es den Daimyo verboten, Truppen über die

Grenzen ihrer Herrschaftsgebiete hinaus zu verlegen, politische Bündnisse zu schließen, mehr als eine Burg in ihrem Gebiet zu errichten und ohne Zustimmung des Shogun zu heiraten. Später untersagte das Bakufu den Daimyo auch, eigenes Münzgeld zu schlagen, direkte Beziehungen mit dem Kaiserhof oder ausländischen Mächten zu unterhalten oder große Schiffe zu bauen. Alle Daimyo waren einer von zwei Gruppen zugeordnet, den Fudai oder den Tozama. Die Fudai-Daimyo hatten sich schon vor der Schlacht von Sekigahara (1600) der Tokugawa-Seite angeschlossen, die Tozama-Daimyo waren die Nachfolger jener Fürsten, die erst nach der Schlacht Ieyasu Gefolgschaftstreue gelobt hatten.

Das Verwaltungssystem, das sich jetzt herausbildete, besaß eine Doppelstruktur: Es gab ein ausgeklügeltes, vielstufiges Verwaltungssystem in den Herrschaftsgebieten der Daimyo (*han*), das vor allem der Steuererhebung und dem Gerichtswesen diente; daneben gab es das zentrale Verwaltungssystem, dessen höchste Repräsentanten Spitzenbeamte der Zentralregierung in den Han waren. Diese *bugyô* waren das lokale Gegenstück zu den Räten, die unter der Herrschaft des Shogun von Edo aus die nationale Verwaltung kontrollierten. Die Doppelverwaltung des sog. «Baku-Han-Systems» machte den Verwaltungsapparat schwerfällig und ließ eine riesige Schicht kleiner und mittlerer Samurai-Beamter entstehen. Andererseits transportierte dieses komplizierte Verwaltungssystem eine Art des Bewußtseins von Recht und Ordnung in alle Schichten der Bevölkerung und ließ bereits in der Tokugawa-Zeit eine politische Kultur entstehen, deren Rechtskodex und Entscheidungssystem Grundvoraussetzungen für die Entstehung eines straff verwalteten Nationalstaates im 19. Jahrhundert bildeten. Eine vergleichsweise große lokale Selbständigkeit einzelner Han, die sich aus der Baku-Han-Verwaltung ergab, bildete Anfang des 19. Jahrhunderts auch die administrative Voraussetzung für die rasche wirtschaftliche Entwicklung einzelner Daimyo-Gebiete. Hochrangige Positionen in der Zentralverwaltung des Baku-Han-Systems standen nur den Fudai-Daimyo offen, während alle Tokugawa-Shogune die Tozama-Herren mit größtem Mißtrauen betrachteten;

ihnen waren solche Spitzenpositionen verwehrt. Über die Jahrhunderte hinweg aber verwischten sich diese Grenzen. Die langen Aufenthalte in Edo, Heiraten zwischen Fudai- und Tozama-Familien und nicht zuletzt auch identische Wirtschaftsinteressen ließen neue Koalitionen entstehen. Das Verwaltungssystem der Tokugawa-Zeit schuf die Voraussetzungen für einen strukturellen Pluralismus, der von allen Daimyo genutzt wurde.

Die Ausweitung europäischer Konflikte nach Japan und der scheinbar wachsende Einfluß christlicher Missionare auf einzelne mächtige Daimyo, die noch immer die Oberherrschaft der Tokugawa insgeheim in Frage stellten, bewog Ieyasu schließlich zu einer Reihe von Maßnahmen, die unter der Bezeichnung *sakoku* die endgültige Abschließung des Landes nach außen bedeuteten. Christliche Samurai hatten an der Seite der Toyotomi als Verteidiger des Schlosses Osaka gekämpft, nachdem Ieyasu schon ein Jahr zuvor angeordnet hatte, daß alle Priester und Missionare das Land verlassen müßten; das Christentum war verboten worden. Viele Missionare suchten die schwierige Zeit durch Unterwürfigkeit und vorsichtige Zurückhaltung bei ihrer Arbeit durchzustehen, andere verließen das Land und gingen nach Macao, um dann heimlich wieder in das Land zurückzukehren. Die Zeiten änderten sich für die christliche Mission jedoch nicht: Die beiden Nachfahren Ieyasus, Hidetada und Iemitsu, begannen vielmehr mit einer systematischen Christenverfolgung. Alle Daimyo, von denen jetzt keiner mehr dem Christentum angehörte, waren aufgefordert, in ihren Fürstentümern Christen aufzuspüren und sie zum Abschwören zu bringen oder aber sie hinrichten zu lassen. Jedermann mußte sich alljährlich einer einfachen, aber wirkungsvollen Prüfung unterziehen: Auf den Boden wurde ein Bronze- oder Kupferbild gelegt, das eine Darstellung des gekreuzigten Christus oder ein Marienbild trug, und Erwachsene wie Kinder mußten mit den Füßen auf diesem Bild herumstampfen – daher die Bezeichnung «Stampfbild» (*fumie*). Wer sich weigerte, wurde gefoltert und hingerichtet.

Das Ende des «christlichen Jahrhunderts» in Japan kam mit dem Aufstand von Shimabara (1637), als in Nord-Kyushu mehr als 30 000 Bauern eines früher christlichen Fürstentums gegen ihren brutalen Daimyo rebellierten. Die Shogunats-Regierung hatte große Schwierigkeiten, den Aufstand zu unterdrücken und mußte die Holländer um Hilfe ersuchen, die einige Schiffe entsandten und die Stellungen der Aufständischen von See her beschossen. Die verzweifelten Bauern von Shimabara hatten sich offen zum Christentum bekannt und auf ihren Bannern christliche Symbole mit sich geführt. Um so brutaler war die Abrechnung der Regierung: Die überlebenden Aufständischen wurden fast ausnahmslos niedergemacht. Dennoch blieb dieser Aufstand ein Schock für das Shogunat: Wenige Monate später wurde das Abschließungsedikt erlassen, Japan verschloß sich der übrigen Welt. In Zukunft durfte kein Japaner mehr das Land verlassen, kein katholischer Christ durfte das Reich des Shogun betreten, und der gesamte Außenhandel wie auch die diplomatischen Beziehungen mußten über die Hafenstadt Nagasaki laufen. Die Beziehungen zu Spanien waren seit 1620 abgebrochen; das neue Edikt beendete jetzt auch die Kontakte zu Portugal, während die Engländer bereits freiwillig Hirado geräumt hatten, da sich die Handelsbeziehungen für sie nicht lohnten. Es blieben nur noch die Holländer, die ihre Faktorei von Hirado nach Nagasaki, auf eine künstliche Insel (Deshima) verlegen mußten. Zusammen mit der Handelsniederlassung chinesischer Kaufleute waren die Holländer für mehr als zweihundert Jahre die einzigen, die regelmäßig Kontakt zum Hof des Shogun in Edo unterhielten.

5.7 Wirtschaftswachstum und bürgerliche Kultur

Die Toyotomi hatten im 16. Jahrhundert das alte Naniwa, inzwischen zur blühenden Handelsmetropole aufgestiegen, als Osaka zu ihrer Machtbasis ausgebaut. Die Entscheidung Ieyasus, seine Residenzstadt im Osten, nahe des Städtchens Edo zu errichten, brachte eine Wende: Die Hauptstadt des Shogun wuchs in atemberaubendem Tempo zu einer politischen, wirtschaftlichen und kulturellen Metropole heran und machte bald Osaka als Wirtschafts- und Kulturzentrum des Landes den

Rang streitig. Die «beiden Augen Japans» begannen zu strahlen, die zwei Metropolen und ihr stets konkurrierendes Spannungsverhältnis ließen den Lichtbogen der Kultur in der Edo-Zeit immer heller leuchten. Es war eine kulturelle Glanzzeit – aber nicht Hofadlige und auch nicht die Kriegeraristokratie prägten diese Kultur, sondern die vielschichtige städtische Bevölkerung in den beiden Riesenstädten, allen voran die reichgewordenen Kaufleute und Handwerker. Zum erstenmal in der japanischen Geschichte konnte man von einer «Massenkultur» sprechen, an der im Rahmen städtischer Lebensformen praktisch alle Schichten der Stadtbevölkerung teilhatten. Nach Osaka strömten die Fernhändler, hier machten die Pilgerreisenden auf ihren Wanderungen zu den Tempeln und Schreinen im westlichen Japan Station, und hier pulsierte noch immer die Verbindungsader zwischen der Hafenstadt Osaka und der kaiserlichen Residenz Kyoto. Im Osten strömten Jahr für Jahr die Züge der Daimyo nach Edo, die Sogkraft der Hauptstadt mit ihren prachtvollen Residenzen, mit ihren unausgesprochenen Verheißungen von Glück und Reichtum, zog Abenteurer und zielstrebige Handwerker, unternehmende Kaufleute und skrupellose Glücksritter gleichermaßen an.

Es waren drei Metropolen, Riesenstädte auch nach europäischen Maßstäben, die in der Edo-Zeit als wirtschaftliche und kulturelle Zentren dominierten. Geistig, wirtschaftlich und verkehrstechnisch waren die drei Metropolen untrennbar in Symbiose verbunden. Im Jahre 1732 hatte Edo über eine Million Einwohner und war neben der chinesischen Hauptstadt Beijing wahrscheinlich die bevölkerungsreichste Großstadt der Welt. Osaka zählte zwar nur etwa 400 000 Einwohner, war aber wohl im 18. Jahrhundert die größte Hafenstadt der Welt. Und selbst die alte Kaiserstadt Kyoto, wo der Tenno mit seinem Hofstaat in glanzvoller Isolation und politischer Ohnmacht lebte, hatte noch etwa 400 000 Einwohner zu jener Zeit.

Die Kultur der Edo-Zeit stellte das Wertesystem des Konfuzianismus auf den Kopf: Stilfragen neuester Mode, literarischer Geschmack und die Bewertung dessen, was gerade «in» war, bestimmten die Ansprüche reicher Kaufleute (*shônin*) in den Städten, obwohl sie in der konfuzianischen Gesellschaftsordnung hinter Kriegern, Bauern und Handwerkern auf den verachteten letzten Gesellschaftsrang verwiesen waren. In den Freudenvierteln gaben die reichen, selbstbewußten Kaufleute den Ton an, raffinierte Kurtisanen und einfache Freudenmädchen gleichermaßen suchten in dieser freigebigen Schicht ihre wichtigsten Kunden. In den Straßen der Vergnügungsviertel sah man auch Samurai, aber sie scheuten sich oft, ihr Gesicht zu zeigen; so erscheinen auf den Holzschnitt-Illustrationen jener Zeit häufig Personen, deren Gesicht unter einem bienenkorbartigen Hut verborgen ist, eben die öffentlichkeitsscheuen Samurai.

6. Die Meiji-Zeit: Die Epoche der Modernisierung

Ein Zusammenwirken vielfältiger Faktoren bewirkte schließlich den Zusammenbruch der Tokugawa-Herrschaft, der zunehmende Druck durch den westlichen Imperialismus, der seit Ende des 18. Jahrhunderts auch auf Japan begehrliche Blicke warf, war dabei nur ein auslösendes Moment. Ohne Zweifel waren die amerikanischen Vorstöße nach Nordost-Asien (Japan und Korea) von entscheidender Bedeutung für die unausweichliche Öffnung Japans, aber schon seit 1790 hatte sich eine russische Bedrohung abgezeichnet; südwestliche Lehensgebiete waren in Gefechte mit englischen und französischen Marineeinheiten verwickelt worden, «der Westen» war als Bedrohung erkannt. Die Shogunat-Beamten lasen die «Batabia shinbun», eine japanische Ausgabe des niederländischen «Javasche Courant» (Batavia/Jakarta) als geheime «Verschlußsache» und waren über europäische bzw. weltpolitische Entwicklungen im späten 18. und frühen 19. Jahrhundert gut informiert – aber das Bakufu als Institution war trotzdem machtlos geworden. Nach 300-jähriger strenger Abgeschlossenheit gegen das Ausland erzwang 1854 eine amerikanische Flotte unter Commodore Matthew C. Perry (die sog. «Schwarzen Schiffe») die Öffnung des Landes.

Die Finanzlage der Tokugawa-Regierung war in den ersten Jahrzehnten des 19. Jahrhunderts immer schwieriger geworden, die Steuerlasten vor allem für die Landbevölkerung immer drückender. Münzverfälschung und Inflation, Naturkatastrophen und Bauernaufstände ballten sich zu Problemen, denen die Regierung ohnmächtig gegenüber stand – letzte Reformanstrengungen blieben wirkungslos. Die Zentralregierung verlor bald jede Kontrolle über die Lehensgebiete, von denen nicht wenige seit längerem in geheimen Zirkeln von Gelehrten und kaisertreuen Samurai eine «Tenno-Renaissance» betrieben. Das überlebte feudalistische Herrschaftssystem zerbrach so von außen unter der Bedrohung durch westliche imperialistische Mächte und von innen unter dem Herrschaftsanspruch einer Gruppe junger, reformfreudiger Samurai vor allem aus den südwestlichen Lehensgebieten des japanischen Reiches; ihnen zur Seite standen Daimyo und Samurai in den zentralen Landesteilen, die eine Restauration der Kaisermacht wollten. Sie alle hatten früh die technische Überlegenheit des Westens erfahren: Zwischen dem uralten Mörser, den im 16. Jahrhundert ein Deutscher gegossen hatte, und der modernen Waffentechnik der westlichen Staaten klaffte eine Entwicklungslücke in Japan. Die jungen Samurai aber waren bereit, sich zur Abwehr der westlichen imperialistischen Bedrohung neuestes technologisches Wissen anzueignen; gleichzeitig strebten sie danach, die Herrschaft der Militärregenten aus dem Hause Tokugawa zugunsten einer «Restauration» der kaiserlichen Macht zu brechen, der Tenno sollte wieder in seine «ursprünglichen» politischen Rechte eingesetzt werden.

Nach kurzen Kämpfen zwischen Reformern und Anhängern der Tokugawa entschieden sich die meisten Lehensfürstentümer für die Reformer; ein letzter Aufstand gegen die neue Herrschaft schlug 1877 fehl: Die «Satsuma-Rebellion» war ein letztes, vergebliches Aufbäumen feudalistischer Kräfte gegen die neue Macht.

Die Feudalfürsten erkannten 1868 wieder die Kaiserherrschaft an; die Hauptstadt des «neuen Reiches» wurde von Kyoto in die alte Residenz der Tokugawa verlegt, aus Edo wurde Tokyo – die «östliche Hauptstadt». Es folgten schnelle wirtschaftliche und soziale Reformen: freie Berufswahl für alle Stände, Abschaffung der Privilegien der Samurai-Klasse, Umwandlung der Grundsteuern von Natural- in Geldsteuern, Aufhebung der Bindung der Bauern an den Boden und uneingeschränkter Grunderwerb, Gewerbefreiheit – und nicht zuletzt die Schaffung eines stehenden Heeres mit allgemeiner Wehrpflicht. 1889 war das neue Herrschaftssystem der Meiji-Zeit (so genannt nach der Ära-Devise des Kaisers Mutsuhito = Meiji-Tenno) weit genug gefestigt, daß eine Verfassung erlassen werden konnte, die in weiten Teilen der preußisch-deutschen Verfassung von 1871 nachgebildet war; mächtige Politiker wie Ito Hirobumi hatten sorgfältig vor allem europäische Verfassungen studiert und sich dann für das «deutsche Modell» entschieden. Deutsche Staatsrechtler wie Alfred Mosse und Herrman Roesler hatten an der Ausarbeitung der Meiji-Verfassung mitgewirkt. Im Artikel 3 der neuen Verfassung hieß es allerdings: «Der Kaiser ist heilig und unverletzlich» – und damit war dem Tenno eine gänzlich andere verfassungsrechtliche Rolle zugewiesen als später dem deutschen Kaiser, er war letztlich kein «sozialer Monarch», sondern in der Staatsideologie «gottähnlich».

6.1 Entwicklungsstrategien der Meiji-Eliten

Die Bedrohung durch den westlichen Imperialismus bewog die japanischen Entwicklungseliten im 19. Jahrhundert unter dem Slogan «Reiches Land, starke Armee» zu einer Doppelstrategie wirtschaftlicher und militärischer Entwicklung. Ziel war zugleich die nationale Selbstbehauptung gegen die westliche Vorherrschaft wie auch der Aufbau der dazu nötigen wirtschaftlichen Basis. Unter Führung einer visionären Reformelite trat eine voll entwickelte Nation der ausländischen Herausforderung entgegen. Japans Wirtschaftsstrategen im 19. Jahrhundert konnten sich dabei schon auf eine erfahrene, loyale und hoch effiziente Elitebürokratie stützen, die eine wirkungsvolle Transmission des Willens eines starken Staates bildete. Darüber hinaus konnte Japan seine frühmoderne wirtschaftliche Entwicklung mit einer Reihe erfahrener Unternehmer beginnen, deren Unternehmungen schon alle Grundstrukturen moderner Unternehmen aufwiesen. Neben den privaten Unternehmern engagierte sich vor allem auch der japanische Staat als Unternehmer, privatisierte aber diese Betriebe, sobald sie wettbewerbsfähig waren (Ausnahme: Rüstungsbetriebe und Arsenale bis 1945).

Bis zum Ersten Weltkrieg hatte Japan alle Voraussetzungen geschaffen, den wirtschaftlichen Aufbau aus dem ausländischen Einfluß zu lösen (eigene Technologien) und eine export-induzierte Entwicklung anzugehen. Dafür gab es zwei Grundlagen:

Die Kapitalschöpfung aus eigener Kraft (keine ausländischen Kredite!) vor allem durch kleine «Bankiers» in den Dörfern, die ihre Grundsteuern für das Bankgeschäft nutzten, sowie durch einige Großbanken, die bei familieneigenen Großkonzernen angesiedelt waren. Die staatliche Grundlage der wirtschaftlichen Entwicklung war eine Reform der Grundsteuern, die 1873 von Natural- auf Geldsteuern umgestellt wurde; dadurch konnte der Staat in relativ kurzer Zeit über Steuereinnahmen verfügen, die für unternehmerische Tätigkeiten eingesetzt wurden. 1868 hatten die Steuereinnahmen 2 Mio. Yen betragen, nach der Reform waren es 60 Mio. Yen; bis 1895 machten Grundsteuern fast 90 % der staatlichen Einnahmen aus, erst danach gewannen Einkommen- und Körperschaftssteuern aus Unternehmen und gewachsenem Mittelstand an Bedeutung. Der erfolgreiche Aufbau einer Exportwirtschaft stützte sich auf einen Schwerpunkt in der Textilindustrie (Spinnerei, Weberei). Dabei hatte die Regierung darauf geachtet, den industriellen Aufbau und den Ausbau der Dienstleistungssektoren in geplanten Phasen zu entwickeln: Den Anfang machte der Bankensektor, d. h. die Festigung eines nationalen und regionalen Bankensystems, es folgte der Aufbau der Kohleförderung, hier legten Konzerne wie Mitsui (s. u.) die Grundlagen ihres späteren Erfolgs.

Japan war in der Mitte des 19. Jahrhunderts ohne Zweifel ein «Entwicklungsland» nach der heutigen Terminologie. Aber es wird häufig übersehen, daß bereits zu dieser Zeit die japanische Wirtschaft soziale und ökonomische Grundlagen entwickelt hatte, die es dem Land ermöglichten, sich schnell in die Weltwirtschaft einzuklinken. Japans Unternehmer und die japanische politische «Klasse» der Tokugawa-Zeit (ca. 1600–1868) hatten alle Voraussetzungen geschaffen, die eine «moderne» Entwicklung der Wirtschaft Japans freisetzen konnten. Japan konnte sich in seiner industriellen «take-off»-Phase auf breit gestreute Unternehmenserfahrungen stützen, die sich trotz der ideologischen und sozialen Restriktionen für Kaufleute – Unternehmer im weitesten Sinne – im konfuzianischen Gesellschaftssystem entfalten konnten. Darüber hinaus besaß Japan in dieser Phase politische Entwicklungseliten, die den Staat nicht als

Beute betrachteten, sondern sich in einem früh entwickelten nationalen Bewußtsein anfangs in den Dienst der Wahrung staatlicher Unabhängigkeit gegenüber dem westlichen Imperialismus stellten und später – wieder im Dienst nationaler Größe – Japan selbst zu einer imperialistischen Macht formten. Am Beispiel des Hauses Mitsui in der Meiji-Epoche kann dieses frühe Miteinander von Unternehmen und Staat sowie die innovative Kraft «alter» Unternehmen näher dargestellt werden, hier nur die Rahmenbedingungen:

- Nach 1868 wurde in kürzester Zeit ein nationales Währungssystem eingeführt, mit der Bank von Japan (Bank of Japan, Nihon Ginko) als einziger Notenbank, im Gegensatz zu den zahlreichen «bankartigen» Häusern der Lehensgebiete in der Tokugawa-Zeit;
- Festlegung eines Steuersystems, das die Naturalsteuer beseitigte und die Staatseinnahmen ausschließlich auf Geldsteuern aus der Grundbesteuerung gründete;
- Rasche Expansion der Infrastruktur, vor allem Straßen- und Eisenbahnbau und Ausbau der Schiffahrt (inkl. Reedereien);
- Landesweites Post- und Telegrafensystem;
- Einführung des Börsensystems in Tokyo (später auch Osaka);
- Einfuhr von ausländischer Technologie und Berufung ausländischer Spezialisten sowie
- von der Regierung betriebene Fabriken («der Staat als Unternehmer»).

6.2 Mitsui – Ein «exemplarisches Unternehmen» der Meiji-Zeit

Der Sturz der Shogun-Regierung 1868 und die folgende rasche wirtschaftliche Modernisierung Japans bereitete den Boden für die Entstehung moderner Unternehmen, vor allem großer Handelshäuser. 1870 bis 1885 wurden neun Handelsgesellschaften gegründet, von denen Mitsui schon im Ansatz existierte; es war mit Abstand das größte Handelshaus. Die Aktivitäten des Hauses Mitsui lassen sich aus heutiger Sicht wie die Geschäftsaktivitäten eines modernen Unternehmens lesen. Das Unternehmen

Mitsui beherrschte im 17. Jahrhundert bereits alle Bereiche der Unternehmensführung, des Produktmanagements, des Marketing und des Zahlungsverkehrs. Die Geschäftsbereiche von Mitsui konzentrierten sich anfangs auf den Reishandel, die Kreditvergabe an Daimyo (Feudalfürsten, die ständig in Geldnot waren), Handwerker und Bauern sowie auf das Geldwechseln. Da die verschiedensten Münzen und Geldscheine im Umlauf waren, übten die Geldwechsler eine unverzichtbare Tätigkeit aus. Nach Gründung der Textilgeschäfte zog sich Mitsui allmählich aus dem Kreditgeschäft und der Pfandleihe zurück, da die Risiken zu hoch wurden, die Kaufleute wie die Mitsui hatten nämlich keine Zwangsmittel zur Verfügung, um ausstehende Verbindlichkeiten von ihren hochgeborenen Schuldnern einzutreiben. Man konzentrierte sich ganz auf das Textilgeschäft, wobei die Mitsui modern anmutende Geschäftsmethoden entwickelten: Der Vater war ständig auf Reisen, um Informationen zu sammeln («Marktforschung»), zwei Söhne leiteten die Niederlassungen in Kyoto und Edo (Tokyo). Mitsui bot erstmals eine breite Palette von Tuchen und Kleidung in verschiedenen Größen zu niedrigen Preisen an und konnte damit die ganze Breite der Kundenwünsche abdecken. Direktbezug von Ware über das eigene Großhandelsgeschäft machte eine günstige Preiskalkulation möglich.

Ende des 17. Jahrhunderts gehörten die Mitsui zu den größten (Bank-) und Kaufmannshäusern Japans und unterhielten beste Kontakte zu den Herrschenden: Von den Mitsui bezog der Shogun seinen persönlichen Bedarf an Stoffen und Kleidung. Die guten Beziehungen zum Shogun verschafften den Mitsui schließlich die Position eines offiziellen Geldwechslers der Regierung mit Wechselstuben in Edo, Kyoto und Osaka, alle unter Leitung von Söhnen des Hauses Mitsui. Die Firma hatte damit den lukrativen Geldverkehr zwischen den Metropolen unter Kontrolle und brauchte keine Fremdfirmen einzuschalten. Sorgfältig achteten die Mitsui darauf, die Kontakte zur Regierung zu pflegen. 1730 umfaßte das Haus Mitsui 14 Zweigunternehmen, neun Textilhandelsunternehmen und fünf Geldwechselfirmen, die in Kyoto, Osaka und in der Stadt des Shogun, Edo, tätig waren. Das Hauptquartier stellte den Zweigunternehmen Kredite gegen Zinsen zur Verfügung, die halbjährlich zu tilgen waren, nach drei Jahren mußten die Kredite zurückgezahlt werden. Gewinne der Zweighäuser wurden nach Abzug von 10% für die Angestellten an das Hauptquartier abgeführt. Jedes Zweighaus bezog ein fixiertes Einkommen, Gewinne wurden zentral dem Stammhaus zugeschlagen. Die Mitsui führten eine doppelte Buchführung, in der kurzfristige und langfristige Vorgänge strikt getrennt wurden, zudem arbeiteten die Mitsui mit Kapitalrückstellungen für verschiedene denkbare Krisen bzw. unvermutet notwendige Investitionen.

Schon früh bildete das Haus Mitsui Manager heran, die neben den Familienmitgliedern die Geschäfte führten. Sie erhielten eine gute Entlohnung und wurden überdies von der Hoffnung getrieben, eines Tages als Zweigfamilie in das Haus Mitsui aufgenommen zu werden – Adoptionen mit geschäftlichen Zielen waren weit verbreitet. In dieser Form der Unternehmensführung zeichnet sich deutlich das heute gültige System eines Zusammenwirkens von Familienbeteiligung und Managementführung durch Nicht-Familienmitglieder in großen Unternehmen ab. Das Haus Mitsui hatte wie die meisten Kaufmannsfamilien ein Hausgesetz, das für die Familienmitglieder und die Angestellten bindend war. Diese Hausgesetze waren das bürgerliche Gegenstück zu dem Ehrenkodex der Samurai und umrissen die ethischen Grundlagen eines Standes, der zwar im konfuzianischen Denken verachtet war, nichtdestotrotz aber im Japan des 17. und 18. Jahrhundert zu enormer wirtschaftlicher Bedeutung aufgestiegen war. Anläßlich des 100. Geburtstags des Firmengründers wurde 1722 das Hausgesetz der Mitsui niedergeschrieben; es umfaßte im wesentlichen Regeln, die fast alle dem konfuzianischen Wertekanon entstammen.

Auch die neue Meiji-Regierung übertrug den Mitsui von neuem die Aufgaben von Finanzagenten, die Niederlasungen wurden so zu staatlichen Bankfilialen: Es zahlte sich aus, daß die Mitsui schon früh die «Seite der Reformer» gewählt hatten. Eine weitere Handelsgesellschaft, die nicht zum Hause Mitsui gehörte, schloß sich mit Mitsui zusammen – es entstand die

Firma Mitsui Bussan. Der Chef des anderen Handelshauses war der neuen Regierung eng verbunden und übernahm später auch Regierungsaufgaben. Ein Manager seiner Firma wurde zum Chef des neuen Handelshauses; wenig später wurde das Bankgeschäft aus dem Bereich von Mitsui Bussan herausgelöst, es entstand die Mitsui Bank. Somit war der Kern einer jeden modernen Kigyo keiretsu/Sogo shosha (Unternehmensverbund und Generalhandelshaus) entstanden.

Mitsui Bussan gewann durch enge Regierungskontakte die Rechte zur Vermarktung der einheimischen Steinkohle, die in staatlichen Bergwerken abgebaut wurde («strategische Industrien» hatte sich die Regierung vorbehalten), später übernahm Mitsui das Bergbau-Unternehmen ganz. Eine erste ausländische Niederlassung entstand in Shanghai, später folgt Hongkong. Hauptimportware war Baumwolle, die Exporte Mitsuis bestanden vor allem anfangs aus Steinkohle, später Textilien. Die Mitsui-Vertretungen in Hongkong und Shanghai wurden zugleich zu Vertretungen der japanischen Staatsbank (Bank von Japan). Mit der Expansion der japanischen Textilindustrie wurde Mitsui auch zum größten Importeur von Textilmaschinen, mit dem Ausbau der Infrastruktur kamen auch andere Maschinen und Transportmaschinen (Eisenbahn) hinzu. Mitsui wurde Hauptagent führender britischer Maschinenhersteller. Das wachsende Importvolumen brachte Mitsui dazu, sich in der Schiffahrt und im Versicherungswesen zu engagieren. Mitsui & Co. (das Unternehmen hatte Teilhaber aufnehmen müssen) nutzte seine Kredite aus der Hausbank, um seine Position im Binnenmarkt zu stärken. Die Gesellschaft wuchs allmählich in die Rolle eines «business organizers» wegen ihres Einflusses, Marktinformationen zu erlangen, Rohstoffe zu beschaffen und Fertigwaren auch international abzusetzen. Der Weg zur Sogo shosha (Generalhandelshaus) war vorgezeichnet: Um 1910 handelte Mitsui Bussan mit über 120 Warengruppen. Organisatorisch war aus dem alten Stammhaus der Mitsui eine Familien-Holding gewachsen, die die übergeordnete Kontrolle aller Zweigunternehmen ausübte, ein Head Office wickelte die «strategischen Geschäfte» ab. Dabei hatten die einzelnen Tochterunternehen ein erhebliches Maß an unternehmerischer Freiheit. Die Gruppen-Führung achtete sorgfältig auf eine gute Managementausbildung, Mitsui rekrutierte nur die besten Absolventen der besten Universitäten.

Die weitere Expansion des Hauses Mitsui ist im Kontext der folgenden historischen und wirtschaftlichen Entwicklung Japans zu sehen: Man machte Geschäfte in China und Korea, nachdem Japan seine expansionistische Politik zwischen 1895 und 1910 (Kolonisierung Koreas) begonnen hatte. Südostasien wurde intensiv bearbeitet, in den europäischen Kolonien war Mitsui aktiv, in Indien, bis hin nach Südamerika erstreckten sich die Niederlassungen Mitsuis. Immer noch unterhielten die Mitsui (längst nicht mehr die Familie, sondern Manager) beste Kontakte zur Regierung und zum Militär; von beiden Seiten erhielt Mitsui lukrative Kontrakte. Nach dem Zusammenbruch 1945 zerschlug die amerikanische Besatzungsmacht den Mitsui-Zaibatsu, aber als Kigyo keiretsu (Unternehmensverbund) besteht die Gruppe in lockerer Form weiter.

Großunternehmen wie Mitsui, Mitsubishi oder Sumitomo machten eine enge Kooperation mit der neuen Meiji-Regierung zur Grundlage ihrer Expansion, der Staat förderte so die Industrialisierung und nutzte zugleich private unternehmerische Initiative. Parallel dazu wurde das Eisenbahnnetz zügig ausgebaut, schließlich folgte ein gezielter Aufbau arbeitskräfteintensiver Textilindustrie sowie anderer Unternehmen wie Getreidemühlen, Zuckerraffinerien, Brauereien oder Maschinenfabriken. Die staatlichen Haushalte wurden dennoch stark belastet, da sich das industrialisierende Japan schon in einem frühen Stadium zwei kostspielige Kriege leistete und dazu in großem Stil westliche Waffentechnologie importierte: den chinesisch-japanischen Krieg (1894/95), bei dem es um den entscheidenden Einfluß im benachbarten Korea ging, und den russisch-japanischen Krieg, der ebenfalls durch die Korea-Frage ausgelöst worden war. In diesem letzteren Krieg demonstrierte die japanische Marine in der Seeschlacht von Tsushima überlegene englische Marinetechnologie, und in Landschlachten (Mukden, Dairen) den Erfolg preußisch-deutscher Instrukteure des Heeres und die

Überlegenheit deutscher Waffentechnologie (Artillerie, Infanteriewaffen).

Kaum waren die wirtschaftlichen Grundlagen in Japan gelegt, wurde aus dem Opfer westlicher imperialistischer Staaten ein Täter: Gestützt auf seine modernisierteArmee begann Japan mit einer Expansionspolitik im angrenzenden asiatischen Raum, die bald zu militärischen Konflikten führte: 1894/95 errang Japan einen schnellen Sieg über das Kaiserreich China – es ging um die Vorherrschaft in Korea – 1904/05 besiegten Japans Heer und Marine die russischen Fernoststreitkräfte (Tsushima); wieder ging es um den Anspruch auf Korea. Der «asiatische Sieg über eine europäische Großmacht» löste in Japan Stolz, in Europa Bestürzung aus. 1910 annektierte Japan seinen Nachbarn Korea, das bis 1945 japanische Kolonie blieb. 1918 versuchte die Führung in Tokyo vor dem Hintergrund der Revolutionswirren in Rußland in russisch Fernost eine eigene Machtsphäre zu erobern, aber dieses «sibirische Abenteuer» schlug fehl; es kam zu den sog. «Reisunruhen» vor allem in Tokyo (1918), als wütende Bürger gegen Versorgungsengpässe bei Nahrungsmitteln gewaltsam protestierten. Die Regierung schlug die Unruhen zwar nieder, aber 1918 gelangte auch die erste bürgerliche Regierung unter Hara Kei ins Amt, die Militärs der «alten Garde» mußten die politische Macht abgeben.

Die beiden ersten Jahrzehnte des 20. Jahrhunderts brachten eine Ausweitung des Wahlrechts (1925: Aktives Wahlrecht für alle *Männer* über 25 Jahre). Bürgerliche politische Kräfte wurden gegenüber dem Militär in der Politik gestärkt, auch entstanden erste proletarische Parteien, die von Intellektuellen organisiert worden waren und Rückhalt in der Gewerkschafts- und Bauernbewegung fanden.

7. Erster Weltkrieg und industrielle Entwicklung

Der Erste Weltkrieg bedeutete wirtschaftlich einen Schub für die japanische Industrie: Als Kriegsgegner Deutschlands konnte sich Japan in China durch die Übernahme der deutschen Kolonien festsetzen, und während England und Frankreich ihre Industrien auf Kriegswirtschaft umgestellt hatten, konnten Japans Unternehmen sich auf den Massenmärkten der europäischen Kolonien in Ost- und Südostasien etablieren: Die japanische Industrie exportierte u. a. Fahrräder, Nähmaschinen und Baumwolltextilien nach Indien und Afrika, Reis, Düngemittel u. ä. nach Südostasien. Die Kriegskonjunktur sackte jedoch schnell wieder ab, und in den 20er Jahren kam es zu mehreren Währungskrisen um den Goldstandard. Auch die Weltwirtschaftskrise seit 1929 hatte in Japan verheerende Folgen: Die Krise in den USA und anderen Industrieländern löste einen drastischen Nachfragerückgang z. B. nach Rohseide aus, und damit entfiel *der* entscheidendste Devisenbringer. Andererseits konnten die Arbeitskräfte in der verarbeitenden Industrie, die «freigesetzt» wurden, ohne Probleme wieder in ihre Heimatdörfer zurückkehren, handelte es sich doch vor allem um junge Frauen, die in der Textilindustrie arbeiteten. Aus zwei Gründen konnte die japanische Industrie jener Epoche die Krise einigermaßen unbeschadet überstehen: 1. Der Strukturwandel war nicht mehr umkehrbar, die Landwirtschaft hatte gegenüber der Industrie an Bedeutung eingebüßt – Ende der 20er Jahre lag der Bruttosozialproduktanteil aus der Landwirtschaft nur noch bei ca. 20 %, weit überholt von der Industrie (verarbeitendes Gewerbe). 2. Die sinkende Bedeutung der Landwirtschaft wurde unterstützt durch die Nahrungsmitteleinfuhren aus den japanischen Kolonien Taiwan und Korea, wo Reis und andere Grundnahrungsmittel weit billiger produziert werden konnten als im Mutterland.

In den 30er Jahren nahm der Export von Gütern der Leichtindustrie wieder zu, besonders von Baumwolle und Seidenstoffen, weniger von Rohseide, die bis dahin den größten Teil der Seidenausfuhren ausgemacht hatte. Trotz des guten Exportwachstums schrumpfte die Leichtindustrie als Komponente der Gesamtproduktion von 80 % auf rund 50 %, während die Schwer- und Chemieindustrie sich so sehr ausbreiten konnte, daß Japan gegen Ende der 30er Jahre einen gut entwickelten schwerindustriellen Sektor besaß. Dennoch war die arbeitskräfteintensive Leichtindustrie noch immer ein entscheidender Faktor der wirtschaftlichen Entwicklung:

– Sie schaffte Arbeitsplätze und damit mindestens indirekt auch einheimische Kaufkraft und
– sie war noch immer ein entscheidender Faktor der Exportwirtschaft, während die Schwerindustrie zunehmend auch in den Dienst eigener Rüstungsanstrengungen trat.

Die wachsende Bedeutung der Schwerindustrie hatte Konzentrationen in der Industrie zur Folge, und in den Jahren zwischen den Kriegen gewannen die traditionellen Familienkonzerne an Bedeutung, die monopolistisch, familieneigene Holding-Gesellschaften Schlüsselbereiche der Wirtschaft kontrollierten. Diese sog. *zaibatsu* d. h. «Finanzcliquen», waren in den Bereichen Bankwesen, Groß- und Außenhandel sowie in Schlüsselindustrien übermächtig. Neben die sog. «alten» *zaibatsu* (z. B. Mitsui, Mitsubishi) traten neu gegründete Großkonzerne wie Yasuda, die jedoch ebenfalls Familienkonzerne waren, die ihre Wirtschaftsimperien aber familienintern steuerten. Sie unterhielten engste Kontakte zur Regierung und zu den Militärs, die selbstverständlich die *zaibatsu* als natürliche Verbündete bei den japanischen Rüstungsanstrengungen und ihren expansionistischen Programmen betrachteten.

8. Der Weg in die Katastrophe

8.1 Wirtschaftskrisen und politische Radikalisierung

Im Jahre 1912 bestieg ein Tenno den Thron, der offenkundig psychisch krank war: Taisho-Tenno regierte nur von 1912 bis 1926. Dann wurde sein Sohn Hirohito (Showa-Tenno) Kaiser. 1914 bis 1918 kämpfte Japan an der Seite der Entente gegen Deutschland und besetzte die deutschen Kolonien in China (Tsingtao). An der Friedenskonferenz von Versailles nahmen zwar japanische Vertreter teil, aber neben den USA, Großbritannien und Australien nicht als wirklich gleichberechtigte Delegierte. Ein Vorstoß Japans, in den Friedensvertrag und später in die Charta des Völkerbundes einen Passus über rassische Gleichberechtigung aufzunehmen, wurde von den Westmächten rundweg abgelehnt, eine Demütigung, die den beginnenden Ultra-Nationalismus in Japan anfachte. Japans Kriegsziele in China, die mit den sog. 21 Forderungen an die junge chinesische Republik (seit 1911) China zu einem japanischen Protektorat gemacht hätten, wurden in Versailles ebenfalls von den Westmächten blockiert, nur Japans Kolonialherrschaft über Korea wurde bestätigt – eine koreanische Delegation fand kein Gehör.

Die verheerende Weltwirtschaftskrise seit den 20er und 30er Jahren des 20. Jahrhunderts, nicht zuletzt seit dem «Schwarzen Freitag» an den Börsen der USA, riß die gesamte Welt in einen Strudel von wirtschaftlichen und finanziellen Problemen, mit allen sozialen Verwerfungen (dramatische Arbeitslosigkeit und Verarmung). Diese weltweite Krise hatte auch in Japan katastrophale Auswirkungen: Es kam zu einer wahren Verelendung der Bauern, die ohnehin größtenteils auf den Status ausgebeuteter Kleinpächter abgesunken waren; Japan verlor wieder seine Exportmärkte in West- und Südostasien, und damit wurde auch industrielle Arbeitslosigkeit zu einem erdrückenden Problem.

Das große Kanto-Erdbeben von 1923, das Tokyo verwüstete und zehntausende von Menschenleben kostete, verschärfte die Wirtschaftskrise weiter. Im Jahre 1928 verabschiedete der amerikanische Kongreß ein Gesetz, das japanische Einwanderung (nach Kalifornien) verbot; damit war auch dieser letzte verzweifelte Ausweg für japanische Arme versperrt. 1930–35 erreichte der katastrophale wirtschaftliche Niedergang in der Showa-Depression seinen Tiefpunkt – Japan hungerte.

1928 wurde erstmals in Japan die ersten allgemeinen Reichstagswahlen unter dem Männerwahlrecht abgehalten, die sozialistische Linke trat mit mehreren radikalen Parteien an – auch die (illegale) Kommunistische Partei Japans (gegr. 1922) stellte auf den Listen legaler Parteien Kandidaten auf. Nach den Wahlen kam es zu einer breiten Verhaftungswelle: Die sozialistische Bewegung Japans war am Ende. Ein anderer Sozialismus faschistischer Prägung griff Raum: Junge, ultra-nationalistische Offiziere, meist Söhne verarmter Bauern, die von einem agrozentristischen «wahren» Japan träumten, suchten durch Putsche den Kapitalismus zu vernichten und eine neue Kaiserherrschaft zu errichten. In der Showa-Depression kam es 1931, 1932 und 1936 zu Aufständen von Offizieren, konservative Politiker und Unternehmer wurden ermordet, aber die Aufstände brachen schnell zusammen. Die schwelende Unzufriedenheit unter den jungen Offizieren beunruhigte die Armeeführung jedoch, sie wertete die Politik der zivil geführten Regierung als Scheitern und suchte nach einer «politischen Verantwortung» für die Streitkräfte.

Japans politische Führung aus bürgerlichen Parteipolitikern geriet angesichts dieser Entwicklungen zunehmend unter den Einfluß solcher radikaler «faschistischer» (wohl eher ultranationalistischer) Militärs, die neben einer Beseitigung der gerade begonnenen Demokratie eine Expansionspolitik nach China und Südostasien anstrebten. In China entwickelte die sog. Kwangtung-Armee ein machtpolitisches Eigenleben und gründete 1932 den Marionettenstaat «Manchukuo» mit Pu Yi, dem «letzten Kaiser» Chinas, an der Spitze. In Japan selbst gewannen faschistische Geheimorganisationen zusammen mit der militärischen

Führung die Oberhand. Sie verfochten eine agressive Expansionspolitik in China und Südostasien. Die Tenno-Ideologie, die aus dem Kaisertum eine göttliche Institution machen sollte, wurde verschärft, die Erziehung in Schulen, Militär und Universitäten wurde auf die Kaiserverehrung und bedingungslose Hingabe konzentriert, systemkritische Intellektuelle und Politiker linker Parteien wurden gnadenlos durch die Geheimpolizei verfolgt. Die Konzentration aller politischen Macht wurde gegen Ende der 30er Jahre massiv vorangetrieben: 1940 wurden alle politischen Parteien und Massenorganisationen aufgelöst und durch die «Taisei Yokusankai» als übergreifende (faschistische) Organisation ersetzt.

Die zivile Führung in Tokyo konnte nur hilflos zusehen, als es zu gezielten militärischen Aggressionen in China kam, die sich zu blutigen Kämpfen ausweiteten (Massaker von Nanking, 1937); wenig später folgte Japans Austritt aus dem Völkerbund. Für Japan hatte somit als «Pazifischer Krieg» der 2. Weltkrieg 1937 begonnen. An der mandchurisch-mongolischen Grenze zur Sowjetunion kam es 1939 zu schweren Kämpfen zwischen japanischen und sowjetischen Truppen. Aus China wurde der Agressionskrieg nach Südostasien gegen die europäischen Kolonien in Malaysia, Birma, Indonesien usw. ausgeweitet, nachdem Frankreich in Europa gegen Deutschland unterlegen war und Großbritannien vor der Niederlage schien – Japan wollte sein eigenes Großreich in Asien unter Übernahme der europäischen Kolonien. Singapur und Hongkong fielen, Thailand wurde zum «Verbündeten» bei der Eroberung Indochinas (1940). Schon 1938 hatte der damalige japanische Außenminister Konoe Fumimaro eine «neue Ordnung» in Asien angekündigt, die «Groß-Ostasiatische Wohlstandssphäre» (japan. Dai-tôa kyô eiken) unter japanischer Führung. Die sog. «Achse» zwischen Berlin, Rom und Tokyo (1940) und ein Neutralitätspakt mit der Sowjetunion (April 1941) schienen eine Basis für das verhängnisvollste Wagnis zu sein: Kriegsbeginn gegen die USA.

Die bilateralen Beziehungen zwischen den USA und Japan hatten sich vor dem Hintergrund japanischer Expansion in China und Südostasien rapide verschlechtert: Die Regierung in Washington suchte durch harte Wirtschaftssanktionen Japan zur Aufgabe seiner agressiven Politik in China zu zwingen; so wurden Öl- und Kautschuklieferungen an Japan völlig unterbunden. Aber in Tokyo setzten sich die Hardliner durch: Feind Japans waren die «Einkreisungsmächte» der sog. «ABCD»-Staaten, also Amerika, Britannien, China und die Niederlande («Dutch»). Gespräche zwischen dem japanischen und dem amerikanischen Außenminister im Sommer 1941 blieben ergebnislos. Ende 1941 wurde General Tojo Hideki angesichts eines unmittelbar bevorstehenden Krieges gegen die USA Regierungschef. Am 7. Dezember 1941 griffen japanische Trägerflugzeuge die US-Pazifikflotte Pearl Harbor an, kurz danach folgte die offizielle japanische Kriegserklärung an die USA, Großbritannien und die Niederlande. Japanische Truppen überrannten die Philippinen (US-Mandatsgebiet) und Indonesien, im März 1942 standen japanische Verbände in Neuguinea und Birma und bedrohten Indien sowie Australien.

Bis 1944 wurde im Pazifischen Raum ein Weltreich erobert – und in wenigen Monaten verloren, die Wende kam in der Seeschlacht von Midway, dann folgte das berühmte «Inselspringen» der US-Armee, bei dem Zug um Zug besetzte Gebiete zurückerobert wurden. Japans Städte lagen längst schon durch «konventionelles» Bombardement in Schutt und Asche, als die Atombomben auf Hiroshima (6.8.45) und Nagasaki (9.8.45) fielen. Auf kaiserlichen Beschluß nahm Japan die bedingungslose Kapitulation nach Maßgaben der Potsdamer Erklärung an; erstmals hörte das japanische Volk am 15. August 1945 die Stimme des Kaisers: Der Tenno sprach verklausuliert über das Radio die Kapitulationserklärung, nachdem fanatische Offiziere zuvor versucht hatten, die Schellack-Platte mit seiner Rede in ihre Gewalt zu bringen und ihn zu ermorden. Am 2. September 1945 wurde die Kapitulation an Bord des US-Schlachtschiffes «Missouri» in der Bucht von Tokyo unterzeichnet.

9. Neubeginn und Wiederaufbau nach 1945

9.1 Besatzungszeit und Demokratisierung

Japan hatte bedingungslos kapituliert, jetzt wurden die übrigen Vereinbarungen der Potsdamer Erklärung umgesetzt: Das japanische Großreich in Asien wurde zerschlagen. Auf dem Höhepunkt der japanischen Expansion umfaßte dieses Reich die südliche Hälfte Sachalins, die Kurilen-Inseln, die Ryukyu-Inseln, Taiwan, Korea, das Protektorat «Manchukuo», große Gebiete Chinas, Birma und die europäischen Kolonien in Südostasien (Britisch Malaya, Indochina, Niederländisch Indien/Indonesien, Philippinen) – außer Thailand. Die Potsdamer Erklärung reduzierte Japan auf seine vier Hauptinseln; die Ryukyu-Gruppe (Okinawa) wurde unter amerikanische Hoheit gestellt (Rückgabe 1972). Die Kurilen waren noch kurz vor Kriegsende von sowjetischen Truppen besetzt worden. Nach der Kapitulation und dem Rückzug der japanischen Truppen aus Südostasien erkämpften zwischen 1945 und 1960 dort nationale Befreiungsbewegungen die staatliche Unabhängigkeit gegen die ehemaligen Kolonialmächte; nicht wenige dieser Befreiungsbewegungen hatte das japanische Militär ausgebildet und ausgerüstet. Korea wurde Opfer des Kalten Krieges: Im Norden ergaben sich japanische Truppen der Sowjetarmee, in der Südhälfte den Amerikanern, und diese Spaltung blieb.

Im Gegensatz zu Deutschland wurde Japan nicht in Besatzungszonen aufgeteilt; es gab zwar formal eine alliierte Besatzung unter Führung des Allied Council, dem die USA, Großbritannien, Australien, Frankreich, Sowjetunion u. a. angehörten, aber die Besatzungspolitik wurde von dem US-Oberbefehlshaber in Japan, General Douglas MacArthur bestimmt. Der «Supreme Commander Allied Powers» (SCAP) betrieb die Demokratisierung Japans und eine entschlossene Entmilitarisierung.

Die Rüstungsindustrie wurde zerschlagen. Im Unterschied zu Deutschland lösten die USA und die Alliierten die bestehenden japanischen Staatsorgane nicht auf, sondern regierten das Land indirekt über diese Institutionen weiter. 1947 trat eine neue Verfassung in Kraft, die wesentlich vom SCAP mitbestimmt worden war; sie gestand dem Tenno nur noch eine symbolische Rolle zu und verankerte das Wahlrecht für Frauen.

Die Alliierten versuchten, die japanischen Kriegsverbrecher ähnlich den Nürnberger Prozessen im «International Military Tribunal for the Far East» (1946–48) abzuurteilen; zwölf Hauptverantwortliche wie z. B. der Kriegspremier General Tojo Hideki wurden zwar verurteilt und hingerichtet, aber der Prozeß blieb halbherzig: General MacArthur hatte verhindert, daß der Kaiser als Kriegsverbrecher angeklagt wurde, und damit fehlte dem Verfahren ein guter Teil an Glaubwürdigkeit. Kriegsverbrecher, die nach dem Verfahren in Haft kamen, wurden schon 1949/50 wieder begnadigt, während zugleich «linke» Aktivisten im sog. «Red Purge» verfolgt wurden – der Kalte Krieg hatte mitten im (heißen) Korea-Krieg (1950–53) auch Japan erfaßt.

Parteien und Gewerkschaften konnten unter der alliierten/amerikanischen Besatzung wieder ungehindert tätig werden und aktiv an der Neugestaltung der demokratischen Ordnung Japans mitwirken. In den 40er Jahren herrschte eine gefährliche revolutionäre Grundstimmung in der japanischen Gesellschaft, die der amerikanischen Besatzungsmacht angesichts des Kalten Krieges große Sorgen bereitete. Linke Parteien und sozialistisch geführte Gewerkschaften riefen 1947 zu einem Generalstreik auf, der Japan völlig paralysiert und vielleicht zu großen Unruhen geführt hätte – General MacArthur verbot den Streik, und die sozialistische Bewegung fiel in sich zusammen.

9.2 Das japanische Wirtschaftswunder

Die japanische Wirtschaft lag 1945 in Trümmern; schon der «konventionelle» Bombenkrieg der USA hatte die Industriezentren vernichtet, die Bevölkerung hungerte. Zwischen 1945 und 1952 – der Dauer der amerikanischen Besatzung Japans – mußten die USA weitgehend die japanische Bevölkerung ernähren, weil die Agrarproduktion bei weitem nicht für die Versorgung ausreichte. Selbst für die USA wurden diese Versorgungslasten zu einem Problem, daher wurden schon kurz nach Beginn der Besatzung Forderungen laut, Japan schnell wieder in die Unabhängigkeit zu entlassen. Zuvor aber mußten grundlegende Reformen in der Landwirtschaft durchgesetzt werden: Das ineffiziente Pächtersystem sollte reformiert werden.

In diesen Jahren verfolgte die US-Regierung aber vor allem eine konsequente Politik des Abbaus von «strategischen» Industrien, um Japan für immer die Möglichkeit zum erneuten Aufbau einer Rüstungsindustrie zu nehmen. Kern dieser Politik war die Zerschlagung der *zaibatsu*, die insgesamt aber als Fehlschlag zu werten ist: Es gelang der amerikanischen Besatzungsmacht zwar, die formalen Strukturen zu entflechten, aber die informellen Systeme persönlicher Beziehungen der Wirtschaftsführer untereinander funktionierten weiter: Kein japanischer Großindustrieller ist wirklich als Kriegsverbrecher belangt worden; die wenigen Ausnahmen waren nach kurzer Haftzeit wieder «im Geschäft», und die *zaibatsu* entstanden als Unternehmensgruppen von neuem. Ein entscheidender Unterschied zur Vorkriegszeit war jedoch die Tatsache, daß die alten Holding-Familien der *zaibatsu* ihre uneingeschränkte Kontrolle über die neuen Gruppen verloren, hier war die amerikanische Beasatzungspolitik zum Teil erfolgreich. Ein Erfolg war letztlich auch die Agrarpolitik der amerikanischen Besatzungsmacht: das Pächtersystem wurde aufgelöst, und die Bauern konnten mit günstigen Krediten den Boden erwerben, den sie bearbeiteten. Die Folge war ein schneller Anstieg der Agrarproduktion.

Grund für die milde Behandlung führender Unternehmer aus der ultranationalistischen Zeit (ca. 1937–45) durch die US-Besatzungsmacht war der beginnende Kalte Krieg, in dem die USA Japan als wichtigen Verbündeten in Nordost-Asien benötigten; auch wurden die Stimmen in den USA noch lauter, die einen Rückzug aus dem Engagement in Japan forderten. Entscheidend für den letztlich grundlegenden Wandel der amerikanischen Politik gegenüber Japan war der Koreakrieg (1950–53), der Japan entscheidende Wachstumsimpulse gab. Die Anlagen- und Ausrüstungsinvestitionen schnellten nach oben, Japan wurde überdies zum Versorgungs- und Urlaubsland für die UN-Truppen in Korea. Zwischen der neuen Unabhängigkeit Japans von der US-Besatzung 1952 bis zum sog. «Nixon-Schock» 1972, als zwischen den USA und der VR China diplomatische Beziehungen aufgenommen und Wirtschaftssanktionen gegen Japan verhängt wurden, wuchs die japanische Wirtschaft (Bruttosozialprodukt) in raschem Tempo mit durchschnittlich jährlich 10 % Zuwachs. Bereits 1968 konnte man Japan als die zweitgrößte Wirtschaftsmacht in der «freien Welt» bezeichnen. Das Wachstum des Bruttoinlandsprodukts Japans lag in den 50er bis 60er Jahren nach UN-Statistiken bei durchschnittlich 5 % pro Jahr. Im Jahr 1968 überholte Japan die Bundesrepublik Deutschland (Westdeutschland); Träger der wirtschaftlichen Entwicklung war vor allem die Exportwirtschaft, die jährlich um 7,6 % zulegte. Die USA duldeten in dieser Phase eine ausgesprochen protektionistische Politik der japanischen Regierung, da die Globalstrategie der USA ein wirtschaftlich stabiles Japan nutzen wollte. Bei der Zusammensetzung der japanischen Importe fällt für die Zeit 1952–1979 auf, daß weit über 50 % der Einfuhren auf industrielle Rohstoffe und Energieträger entfielen. Zählt man die Nahrungsmittel-Importe hinzu, bestanden über 80 % der japanischen Einfuhren aus Primärprodukten, industrielle Fertigwaren wurden nur dort eingeführt, wo sie für den Aufbau der eigenen Exportindustrien unverzichtbar waren: zum Schutz der sog. «infant industries», also jener Industrien, die noch nicht international wettbewerbsfähig waren. Die Rohstoffpreise waren in dieser Entwicklungsphase Japans relativ niedrig, so daß Japan auch hier zusätzlich profitieren konnte.

Der Koreakrieg wurde also für die japanische Wirtschaft zum entscheidenden Einschnitt, sowohl politisch wie auch vor allem wirtschaftlich: Die USA als Führungsmacht der UN-Truppen im Kampf gegen die nordkoreanischen Invasionsverbände, später auch gegen die chinesischen «Freiwilligenarmeen» in Korea, benötigten eine gesicherte Nachschubbasis in Nordostasien – Japan mußte unvermeidlich diese Rolle übernehmen. Noch vor Abschluß des Friedensvertrages von San Francisco im Jahr 1951 (47 Unterzeichnerstaaten ohne VR China und Sowjetunion) und der japanischen Unabhängigkeit im Jahr 1952 war Japan aus einem Gegner der USA im Pazifischen Krieg zum wichtigsten Verbündeten geworden – innerhalb von nicht einmal zehn Jahren. Die japanische Regierung war über diese neue Rolle durchaus nicht glücklich: Die Wiedererlangung staatlicher Souveränität nach der amerikanischen Besatzungszeit und vor allem eine wirtschaftliche Erholung waren die wichtigsten politischen Ziele – nicht aber Verwicklung in einen anderen Krieg. Japans geographische Lage war ein Faktor, der das Land unvermittelt in eine Bündnisrolle mit den USA (oder auch mit den UN) zwang, auch die japanischen Erfahrungen aus der Kolonialzeit in Korea machten den Inselstaat zu einem wertvollen Partner: Ehemalige japanische Kolonialbeamte und Militärs kannten Korea besser als jeder andere und wurden als Berater für die UN-Truppen unverzichtbar. Auf diesem Wege ließe sich geradezu von einer neuen politischen «Emanzipation» Japans sprechen, der Koreakrieg bildete zweifellos ebenfalls ein Wendepunkt für die neue internationale Rolle Japans.

Vor allem aber profitierte Japans Wirtschaft beträchtlich von dem Krieg der UN in Korea: Mitten in die beginnende Aufbauphase der zerstörten japanischen Industrie stieß die Einbindung der japanischen Industrie (und auch der Dienstleistungen z. B. im «Rest and Recreation»-Programm der US-Streitkräfte) in die wirtschaftlichen Anstrengungen der UN-Staaten. Zwischen 1950 und 1956 verdreifachten sich die japanischen Importe von 1 Mrd. US$ auf 3 Mrd. US$, vor allem industrielle Vorprodukte zur Weiterverarbeitung wurden eingeführt; die Exporte schnellten im selben Zeitraum von 500 Mio. US$ auf 2,5 Mrd. US$ hoch und schufen die Grundlage für die Entstehung einer breiten Schicht kleiner und mittelgroßer Unternehmen, die einen großen Teil der Arbeitslosen aufnehmen konnten. Die exportinduzierte Entwicklung der japanischen Wirtschaft im Verlauf des Koreakrieges ließ im Lande einen neuen Nachfrageschub entstehen, der außenwirtschaftlichen Anreizen eine kräftige Binnennachfrage an die Seite stellte. Ein Blick auf die Nachfrageentwicklung bei «Leitfossilien» der Konsumgüterindustrie im Gefolge des Koreakriegs verdeutlicht diesen Trend: 1958 besaßen knapp 15 % der Japaner einen Schwarz-Weiß-Fernseher, 1968 waren es rund 83 %, danach sinkt der Anteil dieser TV-Geräte bis 1975 wieder auf unter 40 %; dafür schnellt der Anteil der Farbfernseher von 5 % (1960) auf 81 % (1975), die Familien, die Telefonanschlüsse besitzen, steigen von 20 % (1958) auf ca. 80 % (1975), PkW hatten 1962 nur 0,8 % aller Japaner, 1975 waren es immerhin schon 39 %.

Der Verlauf des japanischen «Wirtschaftswunders» weist keineswegs den linearen Verlauf auf, der aus der Rückschau oft angenommen wird, vielmehr sind eine Reihe von Einbrüchen zu verzeichnen, die sich phasenweise als regelrechte Krisen abzeichneten, z. B. die beiden Ölkrisen 1972 und 1979. Dennoch zeigt die Entwicklungskurve des Bruttosozialprodukts in den ca. 25 Jahren zwischen 1952 und 1976/77 einen bemerkenswert geradlinigen Aufwärtstrend, von 14 Mrd. Yen (1952) auf ca. 82 Mrd. Yen (1976). Dabei konnte die japanische Wirtschaft in der Hochwachstumsphase der 60er Jahre die Rezession von 1965 und später die Ölkrisen zu Beginn und Ende der 70er Jahre bemerkenswert gut bewältigen: Die Bruttosozialprodukt-Kurve weist fast keine «Delle» auf, nur die Kurve der Anlage- und Ausrüstungsinvestitionen – also die Aktivitäten privater Unternehmen – zeigt zwischen 1972 und 1976 deutlicher Ausschläge nach unten.

Auch die industrielle Binnennachfrage wurde zu einem Wachstumsimpuls: Zwischen 1951 und 1972 stiegen die inländischen Anlage- und Ausrüstungsinvestitionen um durchschnittlich jährlich 22 %, der private Konsum hinkte hinter dieser Entwicklung deutlich her. Ausschlaggebend für diese Entwicklung war die Tatsache, daß japanische Unternehmen auf dem japanischen Markt gegeneinander einen überaus harten Konkurrenzkampf führten, eine Tradition, die unverändert fortbesteht. Die Entwicklung wurde auch durch die japanische Regierung gezielt unterstützt, mit wirtschaftspolitischen

Instrumenten, die auch heute noch verschiedentlich angewendet werden:

- Entwicklungskartelle (gemeinsame F&E/FuT-Aktivitäten, s. u.,),
- Notkartelle für nicht mehr konkurrenzfähige Industrien (z. B. Textilien, Aluminium),
- steuerliche Anreize,
- konsequente Industriepolitik.

Hauptausfuhrgüter Japans waren in den fünfziger Jahren zur Hälfte Textilien, 1955 waren es noch 37 %, 1975 aber nur noch 5 % der Ausfuhren. Bis 1964 stiegen die Exporte von Stahl auf anteilig 34 %, sanken aber in der Folge auf 10 %. An die Stelle von Stahlausfuhren traten Maschinen und Verkehrsmittel/ Transportmaschinen (KfZ, Schiffe). In allen Industriebereichen übernahmen die japanischen Unternehmen in diesen Phasen bereits vorhandenes Know-how, ohne große eigene F&E/FuT-Strategien. Erfolgreiche Exportindustrien konnten sich aber auch auf Erfahrungen aus der Rüstungsindustrie stützen, Beispiele sind der Blockbau in der Werftindustrie und das Elektroschweißen. Im leichtindustriellen Bereich wurden konsequent Produktionserfahrungen aus der militärischen Feinmechanik für die Fertigung von Nähmaschinen (schon vor dem Krieg Exportschlager), Radios, Kameras und Uhren eingesetzt.

Im Energiesektor trat seit 1955 ein Wechsel von Kohle als wichtigstem Energieträger zu Rohöl ein: Im Jahre 1955 lagen die japanischen Röhölimporte bei 9,27 Mio. Kilolitern, 1973 aber bereits bei 288,49 Mio. Kilolitern. Die beiden Ölkrisen der 70er Jahre leiteten dann einen weiteren energiepolitischen Schwenk ein: Die japanische Regierung und Wirtschaft setzte von da an voll auf die Kernenergie, während der japanische Kohlebergbau praktisch aufgegeben wurde.

Von 1955 an stellte die japanische Regierung verschiedene Fünfjahrespläne auf, wenn auch die meisten nicht einmal drei Jahre in Kraft blieben, weil die gesteckten Ziele durch das tatsächliche Wachstum weit überholt wurden. Im allgemeinen sollten diese Pläne nur die Richtung des wirtschaftlichen Wachstums vorgeben: Sie sollten darlegen, welche Maßnahmen der

Regierung notwendig seien, um die Ziele zu erreichen und an welche Richtlinien sich die Industrie dabei zu halten habe. Dieser letzte Punkt wird mit dem Begriff der administrative guidance (jap.: gyôsei shidô, Verwaltungsleitlinien) bezeichnet. Die japanische Regierung hat in dieser Phase stets aktiv in die Wirtschaftsaktivitäten eingegriffen und ein ausgeprägtes Element der Planung in die Wirtschaft eingeführt – Grundelemente solcher Rahmenplanung gibt es auch heute noch.

9.3 Politischer Neuanfang nach 1945

Die mächtigste Politikerpersönlichkeit der unmittelbaren Nachkriegszeit zwischen 1946 und 1954 war Yoshida Shigeru, der «japanische Adenauer»; er blieb politisch einflußreich bis zu seinem Tod 1967. Yoshida gehörte als ehemaliger Beamter des Außenministeriums zur «englischen Schule», die das Bündnis mit Nazi-Deutschland («Achse») scharf abgelehnt hatte. Er führte Japan zielstrebig in das westliche Lager. Mit Hilfe der US-Besatzungsmacht unterdrückte er sozialistische Parteien und Organisationen (sog. «Red Purge»): KPJ, Sozialisten und linke Gewerkschaften, die in den 40er Jahren durch Massenstreiks auf einen revolutionären Umsturz zielten, mußten nach Ausbruch des Korea-Krieges resignieren. Während seiner Regierungszeit (1946/47, 1948–1954) akzeptierte Yoshida die Aufrüstung Japans und festigte ein zentralistisches Regierungssystem, das eigentlich den amerikanischen Intentionen (politischer Regionalismus) zuwiderlief.

10. Politische Gewalt und politische Apathie

1954 übernahm Kishi Nobusuke von Yoshida die Regierung; er hatte schon im Kriegskabinett Tojos einen Kabinettsposten (Rüstungsminister). Das zentrale Ereignis seiner Amtszeit war die Verlängerung des amerikanisch-japanischen Sicherheitsvertrages 1960: Kishi peitschte den Vertrag im Alleingang gegen die Oppositionsparteien und die große Mehrheit der japanischen Öffentlichkeit durch das Parlament und trat anschließend zurück. Der Sicherheitsvertrag band Japan in ein bilaterales sicherheitspolitisches Bündnis, obwohl in der politischen Klasse bis Anfang der 70er Jahre dieser Begriff peinlich vermieden wurde. Heute weist der Vertrag durch die sog. «Guidelines» von 1994 (Durchführungsbestimmungen) Japan im Pazifischen Raum eine erhebliche sicherheitspolitische und auch militärische Rolle zu: Seit einer Novellierung des Gesetzes über die sog. «Self-Defence Forces» (SDF, Japans Armee) in der Folge der Terroranschläge vom 11. September 2001 können japanische Militäreinheiten auch «out-of area» (d. h. in Regionen/Meeresgebieten um Japan) eingesetzt werden.

Kurz nach Amtsantritt Kishis hatte sich die politische Landschaft Japans in relativ klaren Konturen herausgebildet: Zwei der größten konservativen Parteien schlossen sich 1955 zur Liberal-Demokratischen Partei (LDP) zusammen, die von da an fast vierzig Jahre ein Regierungsmonopol hatte. Auf der Linken «fusionierten» mehrere sozialistische Parteien zur Sozialistischen Partei Japans (SPJ). Es schien sich ein Zwei-Parteien-System abzuzeichnen, aber die sozialistische Opposition war nie stark genug, um zwischen 1955 und 1994 irgendwann einmal die Regierung stellen zu können. Beobachter sprachen deshalb sarkastisch von einem «Eineinhalb-Parteien-System». Hinter der LDP standen die mächtigen Wirtschaftsverbände, die SPJ stützte sich vor allem auf Gewerkschaftsorganisationen. Die

KPJ spielte im Parlament keine entscheidende Rolle, konnte aber in den rund fünfzig Jahren nach dem Krieg unter Intellektuellen, auf der kommunalen Politikebene sowie in verschiedenen Massenbewegungen eine starke Position aufbauen; bis heute aber ist sie zur Opposition verdammt.

10.1 Wirtschaftsboom und Studentenproteste

Weltweite Anerkennung fand Japan 1964, als die Olympischen Spiele in Tokyo stattfanden. Das Land konnte sich der Weltöffentlichkeit als wirtschaftlich boomender Staat präsentieren: Symbol der wirtschaftlichen Errungenschaften war der Super-Schnellzug «Shinkansen», der Tokyo mit Osaka verband und im Schnitt schon damals 250 km/h fuhr. Die japanische Wirtschaft war zu diesem Zeitpunkt längst zu einem gefürchteten Konkurrenten weltweit geworden. Die politische Landschaft erhielt eine neue Erscheinung: Die riesige buddhistische Laienorganisation Sôka gakkai gründete eine eigene Partei unter dem Namen Kômeitô (Partei für saubere Politik), die seit den 90er Jahren auch an der Regierung beteiligt ist. Viele Japaner fürchten, daß seit dieser Zeit die strikte verfassungsrechtliche Trennung von Religion und Politik aufgehoben wurde.

Die konservative Regierungspartei LDP zeigte in den 60er Jahren zunehmende personelle Vergreisungstendenzen und politische Versteinerung. Beides lähmte sie, während die Weltpolitik von Krisen geschüttelt wurde. Die Antwort auf solche Erstarrungen war die Entstehung einer radikalen außerparlamentarischen Opposition, getragen vor allem von Studentenorganisationen und Gewerkschaften. Neben diesen bildete sich auch eine engagierte Anti-Atombewegung heraus, die sich allerdings schnell spaltete, nachdem eine Gruppe von Kommunisten, die andere von den Sozialisten «übernommen» worden war. Beide Bewegungen aber bekämpften gemeinsam den amerikanisch-japanischen Sicherheitsvertrag und forderten atomare Abrüstung. Parallel zu diesen Bewegungen organisierte sich der studentische Widerstand gegen den Krieg der USA in Vietnam. Höhepunkte der radikalen Studentenbewegung waren die Jahre 1968/69, als zahlreiche Eliteuniversitäten besetzt wurden und die Studenten massiv den Kampf gegen das Establishment auf die Straßen trugen. Die Hauptkraft der Bewegung war der Studentenverband Zengakuren (gegr. 1948), der mit äußerst gewaltsamen Demonstrationen Ende der 60er Jahre durch Japan einen Hauch von Bürgerkrieg wehen ließ. Letztlich versandeten aber diese radikalen Aktionen, der Verband zerfiel in sektiererische Grüppchen, die sich blutig befehdeten, aber längst nicht mehr die bürgerliche Gesellschaft gefährdeten.

Kishis Nachfolger Ikeda Hayato (1960) betrieb die «Verdoppelung des Nationaleinkommens» und leitete Japans Wirtschaftswunder ein. 1964 folgte ihm Kishis Bruder Sato Eisaku (Namensänderung durch Adoption), der bis 1972 regierte. Während seiner langen Amtszeit gaben die USA Okinawa zurück (1972). Gegen alle Erwartungen wurde sein Nachfolger keiner der angesehenen Parteibarone der LDP, sondern der erfolgreiche Selfmademann Tanaka Kakuei, der als Bauunternehmer in der Mandschurei (*Manchukuo*) ein Vermögen zusammengerafft hatte. Der «computergesteuerte Bulldozer» kaufte sich buchstäblich das höchste Partei- und Regierungsamt – und schuf sich unversöhnliche Gegner in der LDP. Die Aufnahme diplomatischer Beziehungen zu China (1972) war sein größtes politisches Verdienst. Wenig später stürzte er von höchster Popularität in einen politischen Abgrund: Wegen passiver Bestechung durch einen US-Luftfahrtkonzern wurde Tanaka 1976 verhaftet. Aber auch nach seinem Sturz blieb er «Königsmacher» und mächtiger Politiker im Hintergrund – noch bis 1989 lag sein Schatten über der Regierungspartei.

10.2 Politische Korruption: LDP-Regierungen

Ein «Mister Clean» war der Nachfolger. Miki Takeo versuchte vergeblich, die Politik des großen Geldes zu stoppen, seine Amtszeit blieb Episode. Auch Fukuda Takeo (1976–78) bewirkte keine Änderungen. Ihm folgte Ohira Masayoshi, der schon 1980 Opfer innerparteilicher Intrigen wurde: er stürzte über ein Mißtrauensvotum der Opposition, bei dem ihm zwei

Fraktionen in der LDP die Stimmen verweigerten. Als Kompromißkandidat rückte der blasse Suzuki Zenko nach, dessen Regierungszeit von Währungskrisen und einem rapide verschlechterten Verhältnis zu den USA gekennzeichnet war. Nach seinem Rücktritt 1982 trat ein Politiker an die Partei- und Regierungsspitze, der während seiner (für japanische Verhältnisse) langen Amtszeit (1983–87) einen neuen Stil in die Politik brachte: Nakasone Yasuhiro verfolgte eine offensive Außenpolitik gegenüber den USA, der EG und Südostasien. Im Inneren begann er überfällige Verwaltungsreformen (Privatisierung der Staatsbahnen, der Telefon- und Telegrafengesellschaft NTT und der Staatsmonopole, 1987), scheiterte jedoch an einer umfassenden Steuerreform. Im Dezember 1983 erlitt die LDP unter seiner Führung die schlimmste Wahlniederlage ihrer Geschichte und mußte mit einer Splitterpartei koalieren. Dennoch wurde Nakasone 1984 wiedergewählt und führte seine Partei in den Doppelwahlen von 1986 zu einem überwältigenden Sieg. Politische Hauptaufgaben Nakasones waren die Bewältigung der Yen-Aufwertung von 1985 sowie die Durchsetzung von Importförderungsprogrammen zum Abbau der Spannungen mit den USA und der EG. Nakasone änderte 1987 die staatliche Ausgabenpolitik und kurbelte mit Nachtragshaushalten und staatlichen Investitionsprogrammen die Binnennachfrage an. In Anerkennung seiner Erfolge gaben die Parteibarone Nakasone freie Hand bei der Ernennung seines Nachfolgers: er nominierte Takeshita Noboru, der die Tanaka-Fraktion «geerbt» hatte. Die Karriere Takeshitas hatte in der Regionalpolitik begonnen, seine Kontakte zur mächtigen Ministerialbürokratie waren wenig entwickelt. Dennoch packte er heiße Eisen an: Liberalisierung von Agrarimporten und die Einführung einer höchst unpopulären Verbrauchssteuer («Mehrwertsteuer» in Höhe von 3 %), die er im April 1989 im Parlament durchpeitschte.

Schon vorher waren Takeshitas Regierung und die LDP schwer angeschlagen: Im Juni 1988 war ein neuer Korruptionsskandal bekanntgeworden. Der Medien- und Immobilienkonzern Recruit-Cosmos hatte Politikern aller Parteien, vor allem aber den Baronen der LDP, gewaltige Summen durch

Überlassung von Aktien vor der Börsennotierung zugeschanzt. Die gesamte Führungselite der LDP war darin verwickelt und mußte in ein vorübergehendes «politisches Exil» – auch Takeshita trat zurück, Nakasone verließ sogar die LDP; daß auch Oppositionspolitiker verwickelt waren, brachte nur schwachen Trost.

Der Nachfolger Uno Sosuke wurde von den Medien im Zusammenhang mit einem sog. «Sex-Skandal» (Affäre mit einer Geisha) publizistisch hingerichtet. Nach einer katastrophalen Niederlage in den Oberhauswahlen vom Juli 1989 – die LDP verlor erstmals ihre Mehrheit in der 2. Kammer (Oberhaus) – trat Uno zurück. Das Anfangsjahr der neuen Ära *Heisei* nach dem Tode Kaiser Hirohitos (Januar 1989) wurde so zu einem politischen Tiefpunkt für die LDP. Die SPJ dagegen konnte unter der Führung ihrer populären Präsidentin Doi Takako neue Wählerschichten unter enttäuschten Bauern, vor allem aber unter Japans Frauen erschließen. In der verzweifelten Suche nach einem unbelasteten konservativen Politiker fiel die Wahl der LDP-Bosse auf einen der sog. «Neo-New-Leader» aus der dritten Führungsgeneration: Kaifu Toshiki. Das vermeintliche «politische Leichtgewicht» entwickelte wider Erwarten schnell politische Statur, und der «Übergangskandidat» wurde zu einem Politiker mit eigenem Gewicht. Als Mitglied der kleinsten LDP-Fraktion balancierte er die großen Machtgruppen gegeneinander aus und konnte durchsetzen, daß in seinen Kabinetten keine Recruit-belasteten Politiker Spitzenpositionen erhielten. Mit diesem «Sauberkeitsbonus» führte Kaifu die LDP in die erfolgreichen Unterhauswahlen vom Februar 1990.

Die Katastrophe für die LDP kam 1993: Nach wiederholten Spaltungen verlor der damalige Ministerpräsident Miyazawa, der Kaifu abgelöst hatte, die parlamentarische Mehrheit, ein Mißtrauensvotum gegen ihn – wegen ausbleibender politischer Reformen – hatte Erfolg. Miyazawa flüchtete sich in Neuwahlen (es gibt in Japan kein konstruktives Mißtrauensvotum) und erlebte eine verheerende Niederlage. An die Stelle der jahrzehntelang allein regierenden LDP trat jetzt eine Koalition aus acht Parteien, alles weggebrochene ehemalige LDP-Gruppen. Mit

Mühe brachte diese Koalitionsregierung eine Reform des Wahlrechts, schärfere Gesetze gegen politische Korruption und ein geregeltes Parteien-Finanzierungssystem durch das Parlament. Der Chef der Koalition, der ehemalige LDP-Politiker Hosokawa, stürzte aber 1994 ebenfalls über einen alten Korruptionsfall, und so war auch diese Regierung nach wenigen Monaten am Ende. An ihre Stelle trat eine Koalition, die geradezu jeder politischen Logik widersprach: Die Sozialisten verbündeten sich mit der LDP – dem alten Erz-Gegner – und konnten zum erstenmal seit 1948 wieder einen Regierungschef stellen. In dieser Koalition waren die Sozialisten nur Juniorpartner, die LDP stellte im Parlament die stärkste Fraktion und im Kabinett die meisten Minister. Im Januar 1996 trat unerwartet der sozialistische Regierungschef zurück und an seine Stelle trat wieder ein LDP-Politiker. Damit waren die «Profis des Regierens» nach einem politischen «Stolperschritt» von drei Jahren wieder an der Macht.

11. Das Jahrzehnt mühsamer Reformen: Die neunziger Jahre

Die 90er Jahre des 20. Jahrhunderts wurden zu einer weiteren Epoche mühsamer, schwerfälliger Reformen in der politischen Kultur Japans. Nicht aus eigener Initiative und Kraft rangen sich japanische Politiker und ihre Parteien zu diesen Reformen durch, sie reagierten vielmehr auf eine Serie von wirtschaftlichen Krisen, mit denen die traditionelle Politik und ihre Protagonisten, die politische Klasse des Landes, nicht fertig wurden. Fast fünfzig Jahre lang hatte das «eiserne Dreieck» aus Ministerialbürokratie, politischer Klasse und wirtschaftlichen Interessengruppen – die viel zitierte «Japan Inc.» – das Land von einem Wirtschaftserfolg zum anderen geführt – ein scheinbar unschlagbares Team. Globalisierungsdruck und hausgemachte Probleme aber, Phänomene, denen sich auch Japans Unternehmen und die Wirtschaftskreise nicht entziehen konnten und die Japan unvorbereitet trafen, legten die früher übertünchten Schwächen des «Systems Japan» bloß. Es begann mit dem Platzen der sog. «Wirtschaftsblase» (Bubble economy), einer Krise, in deren Verlauf erstklassige japanische Großunternehmen praktisch über Nacht zu zahlungsunfähigen Schuldnern wurden, und ihre Gläubiger, die renommierten Großbanken, plötzlich auf Riesenkrediten saßen, die nicht mehr bedient wurden. City Banks suchten sich in Fusionen zu retten, Regionalbanken und andere Finanzinstitute dagegen gingen unter. Industrieunternehmen, vor allem Mittelständlern, wurden neue Kredite verweigert; es kam zu zahlreichen Insolvenzen – und die Arbeitslosigkeit stieg. Die Regierung zeigte sich unfähig, durch grundlegende wirtschaftliche Reformen und entschiedene Liberalisierungsmaßnahmen die Krise politisch zu steuern. Spätestens seit Mitte der 90er Jahre des 20. Jahrhunderts fanden sich Wirtschaft und Bevölkerung in einem fortwährenden Stimmungstief. Dabei fühlten sich alle von der politischen Klasse und ihren Organisationen im Stich gelassen: Zu Beginn 2001 waren noch immer führende Politiker in Regierung und Regierungspartei eher mit innerparteilichen Ränkespielen beschäftigt, statt durch entschlossene Führung die Krise zu meistern. An der Spitze der Regierungskoalition aus drei Parteien (Liberal-Demokratische Partei/LDP, Neue Kômeitô/NKMT und Neue Konservative Partei/NKP) stand 2000 ein führungsschwacher, tolpatschiger und in höchstem Maße unbeliebter Ministerpräsident Yoshiro Mori; Ende 2000 sank die Zustimmungsrate für den Regierungschef auf unter zehn Prozent, die niedrigste Rate, die ein japanischer Regierungschef je erreichte. In sein Amt war er durch Hinterzimmerabsprachen mächtiger Parteibarone der LDP gelangt, die politischen Bosse der größten Regierungspartei hatten ihn ohnehin nur für einen Übergang auf den Posten gehievt. Durch eine lange Folge von unbedachten Äußerungen (um es vorsichtig zu formulieren) machte der ehemalige Regierungschef Mori (2000/01) sich unbeliebt und erregte den Zorn japanischer Nachbarstaaten (Zitatprobe: «Japan (sei) ein Götterland mit dem Kaiser als Zentrum»; den chinesischen Staatspräsidenten Jiang Zemin verwechselte er mit Mao Zedong usw.). Vollends untragbar wurde der Regierungschef jedoch, als er ungerührt eine Partie Golf zwei Stunden lang zu Ende spielte, nachdem er von dem Untergang des Fischerei-Schulschiffes «Ehime-maru» nach der Kollision mit einem amerikanischen U-Boot informiert worden war, bei dem neun Menschen starben.

Es hat in der politischen Kultur Japans während der 90er Jahre Ansätze zu weitreichenden Umbrüchen gegeben; Wahlrechtsreformen, Reformen der Politikfinanzierung und gesetzliche Maßnahmen gegen Korruption sind hier zu nennen. Aber die grundlegenden Defizite japanischer Politik wurden nicht beseitigt, eine Strukturreform (also ein politisches *risutora* [japan.]) hat es nicht gegeben.

Anhang

Literaturhinweise

(nur deutschsprachige Veröffentlichungen)

Wichtige Zeitschriften

Japan aktuell (Hamburg: Institut für Asienkunde, ersch. zweimonatlich)
Asien (Hamburg: Deutsche Gesellschaft für Asienkunde, monatl.)

Wichtige Überblicks- und Einzelwerke

Beasley, W. G., Japan. Geschichte des modernen Japan. 1964.

Bersihand, Roger, Geschichte Japans von den Anfängen bis zur Gegenwart. 1963.

Buruma, Ian, Erbschaft der Schuld. Vergangenheitsbewältigung in Deutschland und Japan. 1994.

Dettmer, Hans, Grundzüge der Geschichte Japans. 1988.

Hall, John Whitney, Das japanische Kaiserreich. 1973.

Hammitzsch, Horst u. a. (Hrsg.), Japan-Handbuch. 1981.

Hartmann, Rudolf, Geschichte des modernen Japan. Von Meiji bis Heisei. 1996.

Kidder, J. Edward, Alt-Japan. Japan vor dem Buddhismus. 1959.

Inoue, Kiyoshi, Geschichte Japans. 1993.

Kreiner, Josef (Hrsg.), Deutschland – Japan. Historische Kontakte. 1984.

Piper, Annelotte, Japans Weg von der Feudalgesellschaft zum Industriestaat. Wandlungsimpulse und wirtschaftliche Entwicklungsprozesse in ihrer politischen, geistigen und gesellschaftlichen Verankerung. 1976.

Zeittafel

Jomon-Zeit (10 000 v. Chr.–300 v. Chr.)
Jäger und Sammler, Töpferwaren mit Kordelmuster

Yayoi-Zeit (ca. 300 v. Chr.–300 n. Chr.)
Naßreisanbau, Bronze, Eisenguß
Erste Kontakte zu China

Yamato/Kofun-Zeit (300–710)
Erster Zentralstaat, gewaltige Grabmäler («kofun»); enge Kontakte zu koreanischen Staaten, von dort Eindringen des Buddhismus. Intensive Beziehungen zu China

Asuka-Zeit

593	Prinzregent Shotoku Taishi, «Verfassung der 17 Artikel»
645	Taika-Reformen
701	Taiho-Reformen, Einführung einer zentralistischen Regierung

Nara-Zeit (710–794)

710	Gründung der Hauptstadt Nara
752	Weihe der großen Buddhastatue in Nara

Heian-Zeit (794–1185)

794	Verlegung der Hauptstadt nach Heiankyo
858	Beginn der Fujiwara-Regentschaft
1010(?)	«Geschichte vom Prinzen Genji» (Erster Höhepunkt japan. Kultur)
1086	Herrschaft der abgedankten «Kaiser im Kloster»
1185	Zerschlagung des Heike-Clan durch Minamoto no Yoritomo

Kamakura-Zeit (1185–1333)

1192	Gründung des Kamakura-Shogunats durch Minamoto no Yoritomo
1219	Der Hojo-Clan beherrscht das Shogunat
1274	Erster Invasionsversuch der Mongolen
1333	Sturz des Shogunats durch Kaiser Go-Daigo
1337	Spaltung des Hofes in «nördlichen und südlichen Kaiser»

Muromachi-Zeit (1333–1568)

1338	Gründung des Muromachi-Shogunats durch Ashikaga Takauji
1467	«Onin-Krieg», Verwüstung Kyotos/Heiankyos; Beginn des Zeitalters der Bürgerkriege («Sengoku jidai»)
1543	Portugiesen erreichen Japan, erste Feuerwaffen
1549	Christliche Missionierung beginnt

Momoyama-Zeit (1568–1600)

1573	Oda Nobunaga ergreift die Macht
1590	Toyotomi Hideyoshi eint Japan
1592	Invasion Koreas durch Toyotomi

Edo-Zeit (1600–1868)

1600	Schlacht von Sekigahara: Tokugawa Ieyasu unterwirft die letzten Gegner und erzwingt die Einigung
1603	Gründung des Tokugawa-Shogunats durch Tokugawa Ieyasu
1637–38	Letzter Christenaufstand von Shimabara
1635–39	Entscheidung für die völlige Abschließung des Landes («sakoku»)
1690–1774	Hochblüte bürgerlicher Kultur, Entstehung der «holländischen Studien» («rangaku»), d. h. westlicher Wissenschaft
1792	Eine russische Expedition erreicht Hokkaido und sucht Handelsbeziehungen aufzunehmen, Japan lehnt ab
1820–1835	Bauernaufstände, Währungsverfall, Niedergang des Tokugawa-Shogunats
1825	Befehl des Shogunats, ausländische Schiffe gewaltsam am Einlaufen in japanische Häfen zu hindern, erste militärische Konflikte mit westlichen Mächten
1853	US-Commodore Perry trifft erstmals in Japan ein
1854	Vertrag von Kanagawa: Japan und die USA nehmen Handelsbeziehungen auf

Meiji-Zeit (1868–1912)

1868	Meiji-Restauration: Der Kaiser wird wieder politischer Herrscher
1872	Allgemeine Schulpflicht, Besitznahme der Ryukyu-Inseln (Okinawa)
1889	Meiji-Verfassung
1890	Wahl zum ersten Reichstag
1894–95	Japanisch-chinesischer Krieg
1910	Annexion Koreas

Taisho-Zeit (1912–1926)

1912	Thronbesteigung des Taisho-Tenno
1914–18	Japan ist Kriegsgegner Deutschlands im Ersten Weltkrieg

1918	«Sibirien-Abenteuer», Reisaufstände, erstes ziviles Parteienkabinett
1923	Großes Erdbeben von Kanto (Tokyo)

Showa-Zeit (1926–1989)

1925	Wahlrecht für Männer (1928 erste allgemeine Wahl)
1926	Hirohito besteigt als späterer Showa-Tenno den Thron
1931	Überfall auf die Mandschurei durch die Kwangtung-Armee
1937	Krieg gegen China
1941	Überfall auf Pearl Harbor, Kriegserklärung an die USA
1945	Atombomben-Abwürfe auf Hiroshima und Nagasaki Japanische Kapitulation (15.8.45)
1945–1951	Amerikanische (alliierte) Besetzung Japans
1947	Neue Verfassung
1951	Friedensvertrag von San Francisco, Sicherheitsvertrag mit den USA
1955	Gründung der Liberal-Demokratischen Partei (LDP) aus zwei konservativen Parteien, fortan langjährige Regierungspartei. Auf der Linken: Gründung der Sozialistischen Partei. Zwei große Parteien: Sog. «1955er System»
1956	Diplomatische Beziehungen mit der Sowjetunion
1960	Schwere Auseinandersetzungen um die Verlängerung des amerikanisch-japanischen Sicherheitsvertrages
1960–70	Erste wirtschaftliche Hochwachstumsphase, «japanisches Wirtschaftswunder»
1965	Diplomatische Beziehungen zu Südkorea
1972	Rückgabe Okinawas durch die USA, Aufnahme diplomatischer Beziehungen zu China nach dem sog. «Nixon-Schock»
1978	Friedens- und Freundschaftsvertrag mit der VR China
seit 1980	beginnt Japan als wirtschaftliche Supermacht zunehmend internatioale Verantwortung zu übernehmen, v.a.: Konferenz der führenden Industrienationen (G7, später G8)
1985	Sog. »Plaza-Abkommen» (benannt nach dem Plaza-Hotel, New York), der japanische Yen wird den Gesetzen der freien internationalen Devisenmärkte unterworfen. Starke Aufwertung des Yen gg. dem US-Dollar, Probleme für die japanische Exportwirtschaft

Heisei-Zeit (1989–?)

1989	Tod Kaiser Hirohitos, «Showa-Tenno»
1990	Thronbesteigung Kaiser Akihitos
1989/90	Die sog. «bubble economy» beginnt zu platzen, die überhitzte Wirtschaft stürzt in eine tiefe Krise. Japans Banken sitzen über Nacht auf riesigen uneinbringbaren Krediten
1993	Die regierende LDP verliert vorgezogene Unterhauswahlen

	und muß zum ersten Mal seit 18 Jahren in die Opposition. An ihre Stelle tritt eine Acht-Parteien-Koalition, meist aus ehemaligen LDP-Politikern
1994/95	Umfassende politische Reformen (Wahlrecht); die LDP kehrt in eine Regierungskoalition zurück – zusammen mit ihrem Erzegegner, den Sozialisten
1995	Ein «annus horribilis» (schreckliches Jahr) für Japan: Im Januar starkes Erdbeben in der Region Kobe/Osaka («Hanshin-Erdbeben»), mehr als 5000 Menschen kommen um. März: Giftgasanschlag einer terroristischen Sekte (Aum shinrikyo) in einer U-Bahnstation Tokyos, 12 Menschen sterben. Gegen Ende 1995: Zusammenbruch mehrerer Banken und Kreditkassen, ein staatliches Hilfsprogramm verhindert Schlimmeres
1995/96	Die LDP führt wieder die Regierung: An die Stelle des sozialistischen Regierungschefs tritt LDP-Präsident Hashimoto Ryutaro (Jan. 96)
1996	Weiterer Zerfall der konservativen Parteienlandschaft in der Opposition: Gründung der Demokratischen Partei (LP) AIDS-Skandal wg. verseuchter Blutkonserven. Das Gesundheitsministerium hatte falsche Blutkonserven ausgegeben
1997	Japan führt das System der Pflegeversicherung ein, das ab 2000 greifen soll. Außenpolitisch treten die sog. «Guidelines» in Kraft, die Japans militärische Rolle im Bündnisfall mit den USA regeln. Aus Südostasien erreichen erste Krisenfolgen Japan
1998	Bankenkrise akut: Zusammenbrüche, Notfusionen, einige Banken unter Staatsaufsicht gestellt. Die LDP erleidet eine schwere Niederlage in den Oberhauswahlen, Hashimoto tritt zurück. Nachfolger wird Obuchi Keizo
1999	Die LDP muß mit der Liberalen Partei von Ozawa Ichiro (ex-LDP) eine Koalition schließen. Auf Drängen der LDP wird die Zahl der Unterhaussitze auf 450 verringert. Sonnenbanner und die Hymne «Kimigayo» werden offizielle Staatssymbole
1999/2000	Ministerpräsident Obuchi Keizo bringt zum ersten Mal die buddhistische Komeito in eine Koalitionsregierung, wenige Monate später verstirbt Obuchi unerwartet. Nachfolger wird in Hinterzimmer-Kungeleien Mori Yoshiro (LDP), die LDP steht vor einer weiteren Spaltung
2001	Rücktritt des glücklosen Mori, Nachfolger wird der Hoffnungsträger Koizumi Junichiro. Unter seiner Führung kräftige Gewinne für die LDP in den Oberhauswahlen vom Juli Nach den Terroranschlägen von New York und Washington wird das Gesetz über die Selbstverteidigungsstreitkräfte novelliert: Im Rahmen des Bündnisses mit den USA können

japanische Militärverbände auch «out-of-area» eingesetzt werden

2002 Japan übernimmt eine führende Rolle bei den internationalen Anstrengungen zum Wiederaufbau Afghanistans («Geberkonferenz» von Tokyo, Januar)

Register

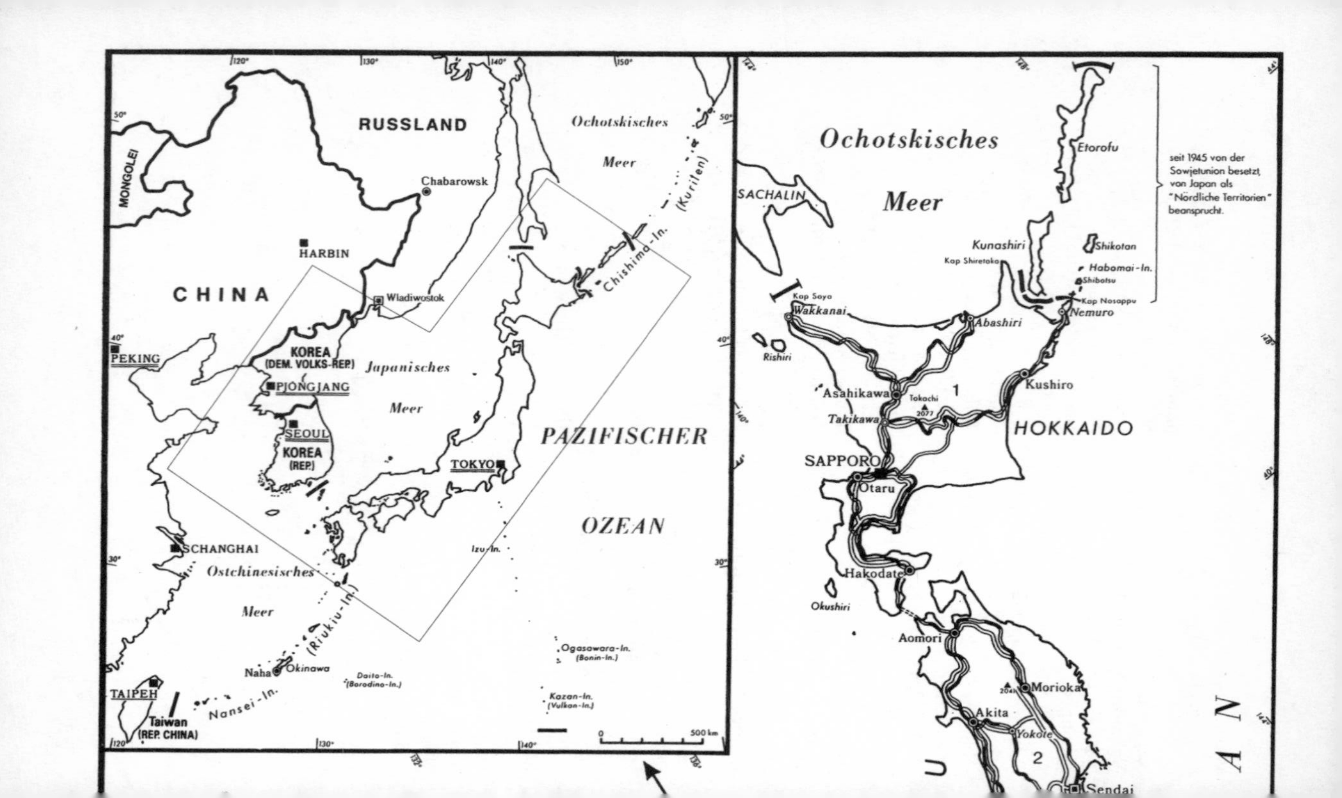
RUSSLAND
MONGOLEI
Chabarowsk
HARBIN
CHINA
Wladiwostok
PEKING
KOREA
(DEM. VOLKS-REP.)
PJONGJANG
SEOUL
KOREA
(REP.)
Japanisches
Meer
TOKYO
Ochotskisches
Meer
(Kurilen)
Chishima-In.
PAZIFISCHER
OZEAN
SCHANGHAI
Ostchinesisches
Meer
Izu-In.
(Riukiu-In.)
Naha
Okinawa
Daito-In.
(Borodino-In.)
Ogasawara-In.
(Bonin-In.)
Kazan-In.
(Vulkan-In.)
TAIPEH
Taiwan
(REP. CHINA)
Nansei-In.
0
500 km
Ochotskisches
Meer
SACHALIN
Etorofu
seit 1945 von der Sowjetunion besetzt, von Japan als "Nördliche Territorien" beansprucht.
Kunashiri
Kap Shiretoko
Shikotan
Habomai-In.
Shibotsu
Kap Nosappu
Nemuro
Kap Soya
Wakkanai
Abashiri
Rishiri
Kushiro
Asahikawa
Tokachi
2077
1
Takikawa
HOKKAIDO
SAPPORO
Otaru
Hakodate
Okushiri
Aomori
Morioka
Akita
Yokote
2
Sendai

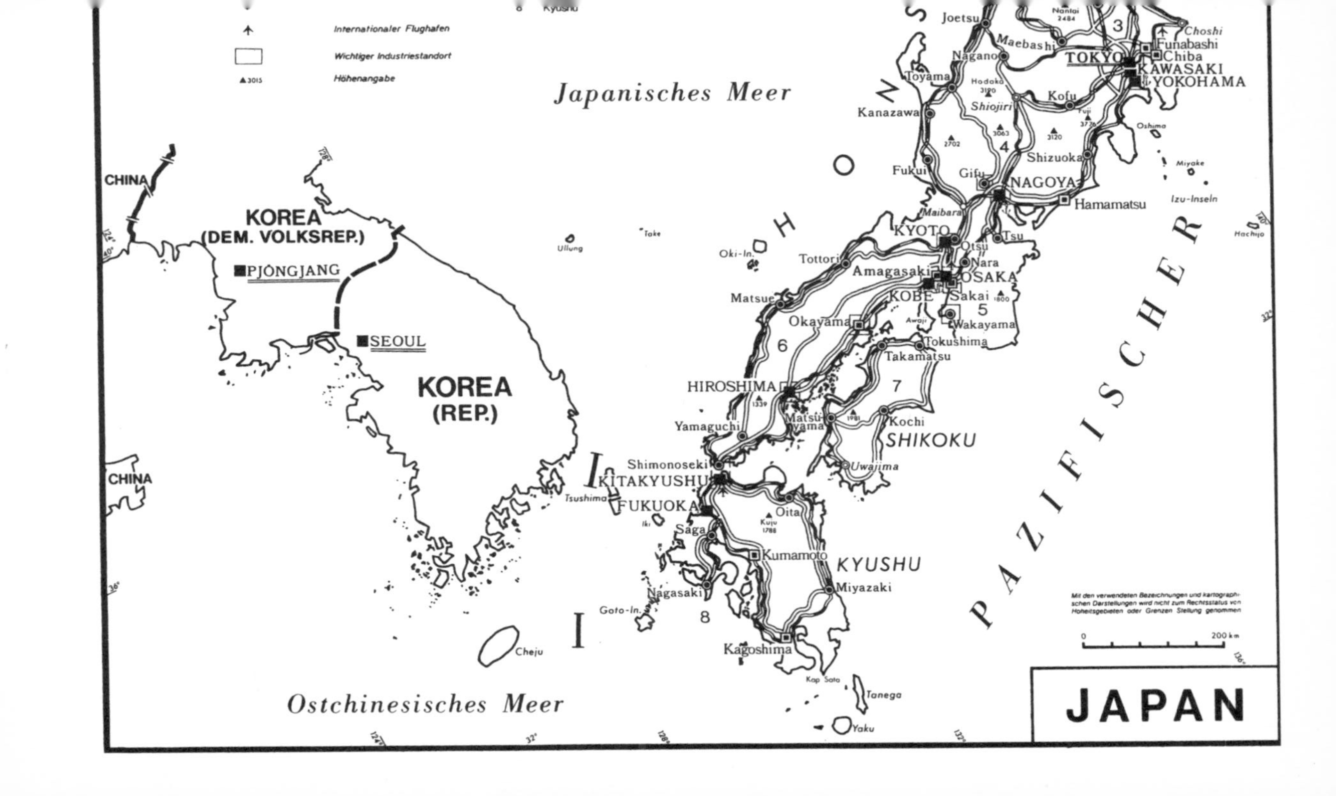
JAPAN
Internationaler Flughafen
Wichtiger Industriestandort
Höhenangabe
Japanisches Meer
Ostchinesisches Meer
PAZIFISCHER
CHINA
KOREA (DEM. VOLKSREP.)
PJÖNGJANG
KOREA (REP.)
SEOUL
Ullung
Take
Oki-In.
Tsushima
Iki
Goto-In.
Cheju
HONSHU
SHIKOKU
KYUSHU
Joetsu
Maebashi
Nagano
Toyama
Kanazawa
Fukui
Gifu
NAGOYA
Shiozuoka
Hamamatsu
Kofu
Shiojiri
Hodaka
TOKYO
KAWASAKI
YOKOHAMA
Funabashi
Chiba
Choshi
Oshima
Miyake
Izu-Inseln
Hachijo
Maibara
KYOTO
Otsu
Tsu
Nara
OSAKA
Sakai
Wakayama
Awaji
KOBE
Amagasaki
Tottori
Matsue
Okayama
Tokushima
Takamatsu
HIROSHIMA
Yamaguchi
Matsuyama
Kochi
Uwajima
Shimonoseki
KITAKYUSHU
FUKUOKA
Oita
Kuju 1788
Saga
Kumamoto
Nagasaki
Miyazaki
Kagoshima
Kap Sata
Tanega
Yaku
Mit den verwendeten Bezeichnungen und kartographischen Darstellungen wird nicht zum Rechtsstatus von Hoheitsgebieten oder Grenzen Stellung genommen
0
200 km

Länder

Bert Hoffmann
Kuba
2., durchgesehene und aktualisierte Auflage. 2002.
255 Seiten mit 20 Abbildungen und 2 Karten. Paperback
(Beck'sche Reihe Band 887)

«Stilistisch elegant und analytisch tadellos ... ein lebendiges und genaues Kuba-Bild... zweifellos ein Muss für Kuba-Experten und -Interessierte.» *Lateinamerika Analysen (Hamburg)*

Olaf Köndgen
Jordanien
1999. 248 Seiten mit 31 Abbildungen und 2 Karten. Paperback
(Beck'sche Reihe Band 865)

«Köndgen ist ein gut geschriebenes Standardwerk gelungen – das Beste zu Jordanien in deutscher Sprache und eines der besten Bücher über den Nahen Osten seit langem.» *Die Zeit*

Ralf Balke
Israel
2., durchgesehene Auflage. 2002.
210 Seiten mit 26 Abbildungen und 6 Karten. Paperback
(Beck'sche Reihe Band 886)

«Ein Buch, das unentbehrliches Hintergrundwissen vermittelt. Nach der Lektüre wissen wir endlich, worum es dort eigentlich geht, und warum beide Seiten fatalerweise gleichermaßen Recht haben.» *Areion Online*

Keno Verseck
Rumänien
2., aktualisierte Auflage. 2001.
208 Seiten mit 22 Abbildungen und 3 Karten. Paperback
(Beck'sche Reihe Band 868)

«Verseck will Verständnis wecken für Rumänien. Dabei ist das Buch keineswegs eine akademisch-trockene Studie, sondern spannend und lesbar, wie ein literarischer Text.» *Der Tagesspiegel*

C.H.BECK **WISSEN**

in der Beck'schen Reihe

Zuletzt erschienen:

2115: Recker, **Geschichte der Bundesrepublik Deutschland**
2154: Heimann, **Die Habsburger**
2156: Bernecker/Pietschmann, **Geschichte Portugals**
2157: Belardi, **Supervision**
2159: Herz, **Die Europäische Union**
2162: Bohn, **Dänische Geschichte**
2163: Vogtherr, **Zeitrechnung**
2164: Schreiber, **Der Zweite Weltkrieg**
2165: Wirsching, **Deutsche Geschichte im 20. Jahrhundert**
2167: Schlösser, **Die romanischen Sprachen**
2168: Höffe, **Gerechtigkeit**
2169: Wehler, **Nationalismus**
2170: Feld, **Franziskus von Assisi**
2171: Hartmann, **Die Jesuiten**
2172: Garbe, **Die Zeugen Jehovas**
2173: Markschies, **Die Gnosis**
2174: Waldschmidt, **Maria Montessori**
2175: Thomssen, **Schutzimpfungen**
2176: Leitzmann, **Vegetarismus**
2177: Modrow, **Viren**
2178: Volkert, **Geschichte Bayerns**
2179: Wolfram, **Die Goten und ihre Geschichte**
2180: Rosen, **Die Völkerwanderung**
2181: Störmer, **Die Baiuwaren**
2183: Gilcher-Holtey, **Die 68er-Bewegung**
2184: Brenner, **Geschichte des Zionismus**
2185: Welwei, **Die griechische Frühzeit**
2186: Ingold, **Quantentheorie**
2187: Bergmann, **Geschichte des Antisemitismus**
2189: Ansprenger, **Geschichte Afrikas**
2190: Pohl, **Geschichte Japans**
2191: Reinhardt, **Geschichte der Renaissance in Italien**
2192: Theißen, **Das Neue Testament**
2193: Sautter, **Die 101 wichtigsten Personen der Weltgeschichte**
2194: Rothermund, **Geschichte Indiens**
2195: Hornung, **Das Tal der Könige**
2196: Schwaiger/Heim, **Orden und Klöster**
2197: Berger, **Paulus**
2198: Haarmann, **Geschichte der Schrift**
2199: Wuketits, **Was ist Soziobiologie?**
2300: Dittmann, **Der Spracherwerb des Kindes**
2301: Fuchs, **Die Parkinsonsche Krankheit**